JN034533

改正株式会社法の問題点

西原寛一
大隅健一郎
鈴木竹雄
石井照久
大森忠夫

ジュリスト選書　有斐閣

はしがき

法制審議会の商法部会は、現在、株式会社法の根本的改正に関し審議を進めつつあるが、それに先き立つて、緊急に改正を要する点を改正した部分的改正が第二二国会で成立し、昭和三〇年七月一日から施行された。

われわれは、この改正法案が国会に提出された直後、法案の問題点を拾つて共同研究を行い、これを「商法改正法案の問題点」と題してジュリスト八四号ないし八六号に掲載した。そして、法案が法律として成立した後、さらに若干の補正を加え、これに応じて題名を「改正株式会社法の問題点」と改めたものが本書である。

本書は今回の改正法に関する研究として、必らずしもその問題点を網羅せず、また、論議を尽したともいいがたいが、ともかくわれわれ五人がそれぞれの角度から改正法の問題点を究明してこれを解決しようとつとめたものである。その意味において本書は改正法の解釈ないし運用につき役立ちうる点があるのではないかと考える。

昭和三十年十二月

西原寛一　大隅健一郎
鈴木竹雄　石井照久
大森忠夫

目次

一　はじめに

鈴木　第二十二国会で「商法の一部を改正する法律」が成立し、昭和三十年法律二八号として七月一日から施行された。この改正法はさる三月二十五日の法制審議会第十一回総会で議決された要綱にもとづいて立案されたもので、その内容は僅か数項目に関するにすぎないが、いずれも早急に改正を要する事項としてとり上げられたものであって、新株引受権に関する改正のように実際上極めて重要な問題が含まれている。そして一見すると極く簡単な改正のように思われるが、考えてみるとやはり問題点が少くない。法律が施行されてから解釈が分れたりしてはじめに予期しなかったような問題を起すことがこれまでしばしばあったので、この機会に改正法をめぐって問題となりうるような点をできるだけとり上げ、その考え方について皆で話し合ってみたいと思う。

二　株主の新株引受権

(1)　改正法の趣旨

鈴木　従来の法律によると、株式会社の設立の際に作成する定款には、その必要的記載事項として、「会社の設立のときに定められた会社が発行する株式の総数につき株主に対する新株の引受権の有無または制限に関する事項、もし特定の第三者にこれを与えることを定めたときは、これに関する事項」を定めなければならないことになっていた（商一六六Ⅰ5）。そして、その設立のときに定めた会社が発行する株式の総数を、後に定款変更によって増加する場合にも、同様にその増加すべき株式につき定款をもって、「株主に対し新株の引受権を与え、制限し、または排除する旨、もし特定の第三者に対しこれを与えるときはその旨」を定めることが必要であつた（商三四七Ⅱ）。ところが、この「株主に対する新株引受権の有無または制限」という書き方がはっきりしないので、どういう定め方をしたら法律の要請するところに合致するか、ということについて問題を生じたわけである。しかし、このような事項を定款の絶対的記載事項とする必要があるかどうかということ自体が元来非常な疑問であって、この点は、昭和二五年の商法改正の際、株主に新株引受権を与えるのを法律上原則とすべきだという立場と、反対に与えないことを原則とすべきだという立場とが、審議の過程で争われ、その結着がつかなかったため、法律上の原則としては与えるか与えないかということをきめず、各会社の定款においてそれぞれそれをきめさせるということにしたのである。ところが、その規定の表現がはなはだ拙かったため、先ほど言ったように、実際上非常な困難を生み、ことに最近、相当広く行われているような定款の書き方が、下級審ではあるが判例によって無効とされ、この問題について甚だしい紛糾を生ずるにいたった。

これらの点は周知のことだからこれ以上述べる必要がないと思うが、とにかく、株主の新株引受権に関する事項をこのように定款の絶対的記載事項とすることとの当否については、前々から論議があり、もし法律で株主に対し新株引受権を与えるか、与えないか、どちらかを原則とすることにきめさえすれば、こんなことは不必要になるわけであって、法制審議会は「新株引受権に関する事項は、定款の絶対的記載事項としない」ということを要綱に定め（要綱第一）、そして、改正法はこれを具体化して、商法一六六条の第一項第五号を削除して、株主の新株引受権に関する事項を定款の絶対的記載事項から落したのである。

そこで次に、株主に新株引受権を与えることを原則とするか、与えないことを原則とするか、どちらの立場から立法するかということが当然に問題になるが、その点、法制審議会の要綱は、「新株引受権は、株主に対しては、新株発行に関する取締役会の決議により与えることができるものとすること。ただし、定款に別段の定をすることを妨げないこと」（要綱第二）とした。すなわち、株主は新株引受権を当然には有するものではないけれども、新株発行の際、取締役会の決議によって与えることができる。しかし、これに対して定款に別段の定めをすることもできる、ということになった。そこで、改正法はこの要綱に従い、商法二八〇条ノ二の第一項第五号を新設して、新株を発行する際、定款にその定めがない場合または定款でそのことを株主総会がきめるということを定めていない場合には、取締役会で「新株の引受権を与うべき者、並びに引受権の目的たる株式の額面・無額面の別、種類、数及び発行価格」を定めることにしたのである。

なお、定款変更によって会社の発行する株式総数を増加する場合にも、先ほど言ったように、従来の法律ではその増加分について株主に対する新株引受権の定めをしないと、そのような会社の発行する株式総数の増加が無効になるが（商三四七ⅡⅢ）、改正法は会社の設立の際の定款について上述の改正をしたのと照応して、右の第三四七条の二項と三項とを削除することにしたのである。

新株引受権については別に第三者に対する新株引受権の問題があるが、これはあと廻しにして、まず株主に対する新株引受権を問題としたいと思う。

(2) 新株引受権に関する定款規定の公示の要否

鈴木　株主の新株引受権に関する定めを、定款の絶対的記載事項からはずしたことについてはもちろん異論がないことと思う。ただ、これに関連して、新株引受権に関する定款の定めが従来は登記事項になっていた（商一八八条二項一号）。そして要綱ではその点に別段触れていなかったが、改正法はこれを登記事項からも落した。これが妥当な措置であつたかどうかが、一応問題になりはしないかと思う。

大隅　同時に、株式申込証の記載事項（商一七五条二項二号）からも落ちているね。

鈴木　そうです。落ちている。

大森　改正法のもとで、株主の新株引受権につき定款に別段の定めをするという場合には、大体、法律上当然には確保されていない株主の引受権を、定款でより強く確保するような内容の定款規定が予想されていると思う。もしそうだとすれば、とくにこれを登記事項や申込証の記載事項にしなければならない、という強い要請は必ずしもみとめられない。ただ、そのいわゆる定款の別段の定めというものに、いま言ったのと反対に、法律の建前より株主にとって不利になるような定めというものがもしありうるとすれば ちょっと考えなければならない。要綱第二では、「新株引受権は……取締役会の決議により与えることができるものとすること、ただし、定款に別段の定めをすることを妨げない」となっていたが、この但し書の意味について、ここにいうところの定款の別段の定めの中には、取締役会の決議をもってしても株主に新株引受権を与ええない、というような定めも含まれるか、という質問を受けたことがある。私は、実際問題としてそんな定款の定めがなされることはおそらく予想されないから、とくに問題にする価値はないと思うが、しかしこの要綱の規定だけから見れば、そういう定めも可能だとも読める。この要綱の但し書の部分は改正法の規定では二八〇条ノ二の第一項本文の、左の事項にして「定款に定なきものは」取締役会がこれを決する、という形になっている。この表現であれば、株主の引受権について積極的に定めるような定款の定めがなければ云々、というふうに読め、要綱についてさっき述べた質問者のように、法律の建前よりも株主にとって不利益になるような定款の定めもありうる、という読み方をする可能性は非常に少くなったと思う。しかし万一なおそのような可能性があるとすれば、そのような株主にとり不利な内容の定款の定めについては登記事項や申込証の記載事項にすることが必要だ、という考え方も出て来るだろう。ただ実際問題としては、とくに考慮に入れるほどの必要性に乏しい問題だと思うが。

鈴木　定款で、株主に新株引受権を絶対に与えないというような定めをした場合には、株主の権利を法律の規定によって与えられているものよりも縮少することになるから、それはその公示をする必要がありはしないか、という問題だね。

大森　そういう意味だ。そういう定款の規定を設けるということは、株主からみればもちろん自分に不利益なことであるし、取締役にとっても法のみとめる自由決定権を束縛される結果になるから、そんな定款の定めがなされることは実際上ほとんど想像されないと思うが。西原さんらの実態調査によっても、従来定款で単純に「株主は新株引受権を有しない」とだけ言い切っている例はない（ジュリスト七六号一〇頁二〇頁参照）。

大隅　もし定款にそのような株主にとって不利益な内容の定めがあったとしても、それも定款の規定なのだから、定款変更の手続によりいつでも除去できるわけだ。だから、そういう場合が理論的にあり得るからといって、そのために新株引受権に関する定款の定めを特に登記事項にしなければならぬ、というほどの問題ではなかろう。

鈴木　さらに言えば、法律の原則通りにしている場合にも、取締役会の決議によって株主に新株引受権を与えることはできるが、与えないこともちろんあり得るわけだから、法律の原則通りの場合でも、株主は新株引受権を与えられるものと保障されているわけではない。従って、かりに定款で与えられないということが定められていても、それとそれほど大きな違いはないのじゃないか。そのように考えると、そんな定款の定めがなされる事例は実際的にほとんどないだろうと思われるのみならず、理論的にもそのために登記事項としなければならないというようなことはないのじゃないかという気がする。

大隅　なお、これを株式申込証の記載事項にし、登記事項にすることになると、今後も定款の規定によって与えられた新株引受権は株主の固有権であるとする説が残るおそれがあるように思われ、改正法の立場からいうと、あまり適当でないと考える。

石井　それから、さっき大森君の話にあったのだが、改正法二八〇条ノ二の第一項の書き方から見ると、与うべき者、種類、数、その他について「別段の定めなきときは」とあるのだから、通常の場合は定款でもって積極的に与える場合を考えているという意味だと思われる。もし、稀有な場合として与ええないというような定款の規定があった場合には、さっき大隅君が言われたようなことで問題はないと思う。だから、やはり登記事項にする必要はない。株式申込証にも、従来書いていたのは単にそのワクだけだったが、今度はコンクリートの問題を書くかということになるし、結局要らないのじゃないか。

西原　私もその点異議がない。法律では株主に当然には引受権を与えないという原則を採っているのだし、定款変更も可能なのだから、登記事項にする必要はないと思う。

鈴木　これと関連することだが、さっきの大森君の問題提起は、登記事項というものは、法律の定めている原則よりも株主の権利ないし地位を縮少するような場合に、それを公示する必要から登記事項や申込証の記載事項にされるのだ、という考え方が基礎になっているように思う。もちろん登記事項のうちでも商号とか本店支店とかいうようなものは別だが、株主の権利義務に直接関係する事項についての問題としてみると、法律の定めるところより株主にとってマイナスになるような定めが登記事項などにえらばれている、というふうに考えていいだろうか。

石井　そうだろうと思う。株主に不測な不利益を与えないように、という趣旨で……。

鈴木　問題は、建設利息を与えるという定款の規定が登記事項や申込証記載事項になっている点だ。いまの議論から言えば、それは株主にプラスになる定めだからおかしいようにも思われるが、これを登記事項などにしたのは、それを株主に知らせるということに重点があるのか、それとも、利益がないのに配当ができるため、それを債権者に知らせるということに重点があるのか。後者のように考えてよいだろうか。

石井　主としては後者の利益を考えたものといっていいが、株主としても、いわば債権者的権利として取得するわけだろう。そういう意味で公示しておくという必要があるのではないか。

鈴木　ただ、株主にとってマイナスのものが登記などによって公示されるのだという考え方に立つと、建設利息に関する事項はいわばプラスのようなものだのに、公示事項にされている。株主としても長い目で見れば、資本を食いながら配当をもらうのだから、そこに不利な点があるというようなことを考えているのだろうか。

大隅　建設利息の配当が株主の利益になるものだとしても、それは新株引受権などと違ってきわめて異例的な現象だから、それで登記させるということではないだろうか。

鈴木　僕が問題にしたのは、株主にとってマイナス的なものが公示されるのだという考え方と、建設利息に関する定めが登記事項などにされているということとの関係如何という点だ。例えば、かつて株式の譲渡の制限がみとめられた場合に譲渡の制限を公示するとか、あるいは株式の消却がきめられている場合にそれを公示するとか、そのようなのは大森君のさっきの考え方で筋が通るが、建設利息の定めの場合はちょっとひっかかりがあるように思える。つまり、ただ異例だからといって片づけるのでは、そのような基準との理論的関連がはっきりしないのじゃないかということだ。

大隅　私は、必らずしも株主にとってマイナスのものだけを登記させるという趣旨ではないと思う。実際上はそれが多くの場合登記事項とされているのが当然だけれども、さっきも言われたように、商号や資本金や株金額が登記事項とされているのと同様に、とにかく株主あるいは債権者に知らしめる必要があると認められるものは登記事項にしているのであって、そう理論的に一貫した基準で定められているとは言えないように思う。

鈴木　だから、少くとも、マイナス的のものならば、それは重要性を持っていることが多い、とは言える。

西原　その程度だろうね。

大森　私がさっき言ったのも、少くとも株主にとって普通の場合より不利になるような定款の定めがなされる場合にはそれを登記などで公示させる必要があるのではないか、という趣旨だ。逆に、ある事項を登記事項などとすべきか否かは、それが株主にとって普通の場合より不利になる事項か否か、ということだけを唯一の基準にしてきまる、というほど強い意味で言ったわけではない。それから建設利息の配当に関する定めの公示の問題だが、これは利息配当附の株式の株主にとっては普通の場合よりプラスになる事項だが、利息配当のつかぬ株式が発行される場合には、その株主にとっては、別に利息配当附の株式がみとめられるということは普通の場合より不利な事項だと言えるのではないか。

石井　商法二九一条第一項にいわゆる「一定の株式」だけに建設利息が配当され、それ以外に配当を受けない株式もあるということを考えると、後者の株主にとっては、利息配当に関する事項は不利な事項だという面がある。勿論公示すべきか否かは、単純に、その事項が株主にとって利益か不利益かということだけでは割切れないとも思うが……。

鈴木　とにかく建設利息配当の定めが申込証の記載事項とされているのは、それが株式引受の重要な条件をなすものだから、当然なことと思う。そしてそれが登記事項とされているのも、株式を譲受けようとする者に知らせる意味があるし、また、債権者に対する関係からも必要である。申込証の記載事項や登記事項とされている理由は必らずしも同じとは限らないのじゃないかな。

石井　結局一つの理論で割り切れなくても、全般を総合して、株主の新株引受権に関する定款の定めは、これを公示する必要はない、ということになるのではないか。

鈴木　そしてまた、新株引受権に関する定款の定めは、登記事項からはずしてしまうのが、実際の取扱上も非常に便宜だと思う。そうでないと、ある会社の定款に、法律と同じ内容の、つまり、当会社においては取締役会の決議によって株主に対して新株引受権を与えることができる、というようなことがかりに書いてあっても、やはりそれを公示しなければならないかどうか、といったような問題も出てくるだろうと思う。それから、今まであったものの処理などにしても、非常に困るだろうと思う。これを一律に登記事項からはずしてしまうのは便宜じゃないかと思う。

(3)　二八〇条ノ二第一項第五号の「新株引受権を与うべき者」の意味

鈴木　つぎに、商法第二八〇条ノ二の第一項に第五号が新設されて、新株発行に際し、取締役会で「新株引受権を与うべき者」を定めうることになった。この「与うべき者」というなかに、株主が含まれていることは明らかであるが、ここで「者」といっているのは、取締役会で単に一般的に株主に与えるときめればそれでよいのか、それとも、Aの株主に何株、Bの株主に何株というように、各株主につき具体的にきめなければならないのか、が問題になる。しかし一定の基準がきまればその基準に従って具体的な引受権者がおのずからきまるような場合には、具体的に誰に何株ということまで取締役会で定める必要はないと思う。

大隅　この「新株引受権を与うべき者」というのは、単に株主だけではなくして、第二項の規定によって第三者に新株引受権を与える場合の第三者をも包含しているのだろう。

鈴木　第三者に与える場合には具体化した形で定めざるをえないことが多いと思う。そうだとすると、株主に与える場合に具体的に定めなければならないか、というような疑問が起るわけだ。しかし株主に対して新株引受権を与える基準がきまってさえいれば、その基準によって具体的な株主に何株いくということが当然出てくる。従ってこのような場合には具体的にA、Bというような各株主についてそれぞれ何株ということまで、取締役会できめる必要はないと思う。

大隅　もちろんそうだと思う。株主に与える場合には株主に与える旨を定めておけばいいので、その場合に各株主が具体的に何株について新株引受権を有するかということは、二八〇条の四第一項の規定でおのずからきまってくるわけだ。ただ第三者に与える場合には、二八〇条の二第二項の定める株主総会の決議の場合と違って、ここでは具体的にきめなければならないのではなかろうか。

鈴木　しかし、第三者に与える場合でも、常にそうしなければならぬわけではないようにも思うが、この点はあとで問題にすることにしよう。

石井　第一項第五号が株主と第三者のときとを含めて「新株引受権を与うべき者」というような表

現をしていることから、株主の中で引受権を与えられる者と与えられない者とがあるのかというふうに誤解されては困る。例えば端株主が引受権をもらえない場合もあるが、株主には平等にいくのだということで法律的には問題はないと思う。

大森　株主一般に対し何株についての引受権を与える、ということがきまれば株主平等の原則や二八〇条の四の規定から、具体的にどの株主に何株についての引受権が与えられるのか、ということはいわば自動的に定まるのだから、株主の引受権を与える場合に関する限り、とくに引受権を与うべき者をより具体的に指定する必要がないことは当然だ、と私も思う。

鈴木　その上、取締役会で株主に新株引受権を与える旨を定めても、そのときに具体的に割当を受ける株主をきめることはできず、それは割当期日にならなければきまらないのだから、なおさら当然のことだ。

石井　私もそう思うが、ただ、優先株主と普通株主とがある場合に異った扱いをするかという時には別の問題が出てくるだけだ。

鈴木　その点は、第二八〇条の四の第一項が優先株について利益配当（商二九三条）の場合のように例外を定めていないので、その規定の解釈として、優先株主も普通株主と同じ割合で割当を受けることになるのか、それとも優先株主は当然違うことになるのかということが問題になるわけだ。つまり、形式的に平等の待遇をしないときは、例の種類株主の総会の議決を要することになるかどうかという問題だと思う。

(4) 二八〇条ノ二第一項第二号及び第五号の「新株の発行価額」の意味

鈴木 それから、私自身がちょっと疑問としているのは、この二八〇条の二第一項の第一号に、新株の額面無額面の別及び種類を掲げているが、第五号にも重ねてこれらの事項を掲げている。この点は、新株発行の場合に額面株と無額面株とを両方出すとか、普通株と優先株とを出す、その数はそれぞれ何株というようなことが第一号できめられる。そしてそのなかで株主に与えられるのは、例えば額面株何株だとか、普通株何株だとかいうように、第一号できめた全体の数の中の一部分が第五号によってきめられるわけで、この関係は非常によくわかる。ところが、第二号の発行価額と第五号の発行価額の関係も、いま言ったのと同じ関係に立つものかどうか。すなわち、公募と、株主に引受権を与えるのと両方やる場合には、第二号の新株発行価額として、例えば五十円および百円とか、あるいは百円以下とかいうようにきめておき、それを前提として第五号によって引受権者に対する発行価額を定めるということになるのか。つまり、二号と五号との関係はどう考えたらいいのか。

大隅 私が法文を読んだ限りでは、二号の方は新株引受権を与えないで新株を発行する場合の発行価額で、新株引受権を与えて発行する場合の発行価額は五号による。いわば五号は二号の例外的な場合について規定しているように思う。

鈴木　しかし、少くとも一号については、一号の方が五号よりも大きなワクで、五号は一号のワクのなかから定められるのではないか。また二号についても、後段の払込期日は統一的なものでなければならないから、五号のものも二号できめられることになる。しかし発行価額だけについては、二号前段と五号とで別なものを考えているのだと解するのは、ちょっとアンバランスな感じがする。

石井　私は必らずしも、そうは思わないが、むしろ問題が出てくる点は、新株引受権者が申込をしないためその株式につき公募（縁故募集でもよいが）する場合の発行価額を先にきめておかなければいけないのか、未引受分についてはあとからきめればいいのか、ということのほうが実際には重要な問題だと思う。

大隅　私が言ったのは、公募する場合の発行価額は二号できめ、新株引受権を与えて発行する場合の発行価額は五号できめるという趣旨で立法されているように思う、ということである。いま言われたように、申込期日の後になって未引受株が出たため、それについて公募をする場合に、その発行価額はあとで定めてもよいのか、それとも最初の発行決議であらかじめ定めておかなければならないのか、という問題は別に考えなければならない。

大森　二号の発行価額と五号のそれとの関係については、私も同じように考える。やはり第二号の方は一般的な公募というものを予想した場合の発行価額で、五号の方は引受権者に対して有利な発行価額で発行する場合のその発行価額、そういう関係になっていると解するのが素直ではないか。

石井　法が一般的に予定している趣旨はそうだろうね。

西原　そうでないと、同じ条文に重複して定めてあるという妙な結果になる。

鈴木　そうすると、新株の全部につき株主に新株引受権を与えることをきめた場合には、二号の発行価額というものはきめなくてもいいわけか。

大隅　要するに、新株の発行価額は二号又は五号のどちらかできめられておればいい、ということだと思う。

鈴木　実際にはもちろんそうなのだが、規定自体の関係としてどうなのかを問題にしたわけだ。しかしその点はしかく論理的にやかましい形になっていないと考えていいわけだね。

大隅　新株の発行に関する事項は、必ずしも二八〇条の二第一項の定める順序できめなければならないわけのものではない。新株の発行価額として必要なことは、百万株発行する場合にはその百万株についての発行価額が、各場合に応じて二号なり五号なりの一方又は双方によってきめられていることだと思う。

鈴木　だが、第二号で公募分の発行価額を定め、第五号で新株引受権を与えて発行する分の発行価額を定めるのだとすると、株式申込証の記載事項からこの第五号が落ちていることが問題になる（商二八〇条ノ六第三号）。つまり、その結果、新株引受権を有する者が申込をする場合には、その引受権を有する株式の額面無額面の別および数は会社からの通知で判るが（商二八〇条ノ五）、発行価額がいくらかは判らないことになる。そうだとすると、規定がどこか不備だったというほかはないのではないか。立法論としては、新株引受権の通知事項に発行価額を加えるべきではなかったろうか。

石井　さきほどの、未引受株の発行価額の問題だが、未引受株について発行価額をあらかじめきめておかなければならないというのもちょっと無理があるし、また実情としては、それをきめないでおいて未引受株をやはりパーで公算するという弊害もあるように聞いているので、残った分については二号が働いてくるということをはっきりしておく必要がある。その時期が前か後か、考える余地があるが……。

鈴木　その点はさっき大隅君が発行決議できめておかなくていいかどうかという問題を留保されたが、それをもう少しはっきりさせると、一体この一号から五号までに定めてある事項は、すべて一回の取締役会できめなければいけないものなのか、それともそれが時間的には分かれて決議されても、それが実質的に一回の発行に関するものと認められるならばそれでもよいと考えられるものなのか。後のように考えてもよいように思うが、どうか。

大隅　具体的にいまの問題について言えば、新株発行決議で「未引受株の処分については後の取締役会で定める」というような定めをしておいて、現実に未引受株が決定した時に取締役会を開いて発行価額を定める、というやり方が従来から行われているが、それでいいかどうかという問題だろうと思う。私はそれで差支えないものと考えている。もちろんこれには多少の異論があるかと思うが。

石井　今大隅君が言われたように「未引受株の処置についてはあとで取締役会できめる」とはっきり前の取締役会できめておく場合もあるし、それを前の取締役会では、はっきりとはきめておかないでいる場合もあると思うが、きめておかなくても当然にそれは後できめるということを前の取締役会で条件として、含みにしているものとして、後の取締役会がその処置を定めていいとは言えないか。その意味では前後の取締役会は二回というけれども、むしろ当然に予定されているものとして一体として考えていいと思う。

(5)　二八〇条ノ二第一項に関するその他の問題

鈴木　第二八〇条の二第一項本文の方の解釈問題で疑問になるようなことは、ほかに何かないか。

大隅　実務家が問題にするのは、定款で新株引受権について別段の定めをする場合、その定めはどんな定め方でもいいか、という点だろうと思う。理論的に言えば、さきほど大森君のいわれたように、法律の規定によるよりも株主にとって不利益な定め方もありうるだろうが、これは実際上は問題になるまい。そこで、法律が定めているよりも有利にする定め方、あるいは法律が定めているところを反復するような定め方が問題になるが、これについては、従来の定款で普通に規定しているような定めは全部有効だということだろうね。極く大まかにいえば、どんな定め方でもいいといえるのではなかろうか。もちろん株主平等の原則に反するような定めはいけないが。

石井　結局どんな定め方でもいいという意味だね。それは、ともかくどんなに定めても定款無効にならないということは第一にははっきりしている。第二には、どんな定め方をしてもいいが、その意味が、どういう意味かわからないという問題が残るというだけのことだ。

大隅 そういうことだね。

(6) 新株引受権に関する従来の定款規定の効力

鈴木 今までの定款の規定が改正法施行後においてどういう効力をもつか、ということを次に問題にしたい。従来の法律だと、さきほど言ったように、株主に対する新株引受権の有無または制限に関する事項を定款の絶対的記載事項としていたために、もしその規定が法の要求するところに合致していないという場合には、定款自体が無効になる。従って会社の設立が無効になる。また、後に会社が発行する株式総数を増加する場合にも、株主に対する新株引受権の有無または制限に関する定めが無効ということになると、会社が発行する株式総数を増加する定款変更自体が無効になる。従ってそれにもとづく新株の発行も当然無効になる、という結果が生ずることになる。そしてその点は例えば会社が合併をする場合、あるいは有限会社が組織変更をして株式会社になる場合にも、同様のことが生ずるわけである。しかし、今度の改正法では、株主に対する新株引受権の定めを定款の絶対的記載事項から削除した結果として、附則の第三項に、この法律の施行前に定めた新株の引受権に関する定款の規定にかりに不備があっても、それは会社の設立、新株の発行、合併、組織変更または定款の他の規定の効力には関係がない、ということにしたわけである。そこでこの規定によると、株主の新株引受権に関する定款の規定自体が、改正施行後どういう運命になるかということは一応別問題として、かりにそれに不備があっても、それはいま言ったような事項の効力には関係がないということになる。

つぎに、今までの会社が株主の新株引受権について定めていた定款の規定が新法施行後にどういうことになるか、という問題であるが、これについては附則第四項が定めている。すなわち、これによると、もし株主に対して新株引受権を与えるとか、あるいは制限的に与えるといったような定款の規定があれば、改正法が施行された後でも、それはそのまま効力を持続する。しかし、その効力を持続はするが、それは、「この法律の施行の際における会社が発行する株式総数のうちの未発行の部分について」効力を有するにすぎぬものとされている。例えば、会社の設立に際して定めた「会社が発行する株式総数」百万株については株主が新株引受権を有すると定款に明言されている場合とか、あるいは何月何日の定款変更によって増加された五十万株について株主が新株引受権を有する、と定款に明言されているような場合には、このような規定を特におく必要はもちろんないわけだが、会社の定款のなかにはそのような明文的な制限をつけないで、ただ「当会社の株主は新株引受権を有する」というような抽象的な定め方がしてあるものもある。しかしそのような定めをした場合でも、それは今までにきめられている発行予定株式総数のうちの未発行部分についてだけの問題にすぎないから、改正法施行後に会社の発行する株式総数が増加されても、それにはこの定款の規定の効力が及ばない、ということをはっきりさせているわけである。もっとも、この点は理論的にも当然こうならざるをえないから、事を明らかにする意味しかないともいえるが。

そしてそれに続いて第四項の但し書では、「ただし、その定款の規定を廃止し又は変更することを妨げない」ということになっている。この規定は、かりに今までの会社の定款に、株主に対して新株引受権を与えるとか、あるいは制限的に与えるとか、いうような規定があっても、新法施行後に定款変更の手続をとってその規定を廃止したり変更することは差しつかえない、こういう趣旨をあらわしているわけである。この問題については、株主に対して新株引受権を与えた場合には、そのような新株引受権は株主の固有権になって、定款変更の決議により多数決でそれを変えることはできないという学説が従来非常に有力であったが、それに対してこの附則第四項但し書の規定は、明文をもって少くともその限りにおいては固有権的に取り扱わないということを言っているわけである。言いかえれば、今までの定款に、株主に新株引受権を与えるというような定めをしていたとしても、それは株主に新株引受権を与えるか与えないかという問題について、そのいずれかを原則とする立場をとらなかった法律の規定を基礎として、定款をもって与えるということをきめていただけの話である。ところが改正法ではその基礎ないし前提が変ってきた以上、ここでもう一度それを再検討するチャンスを認めてやろうという趣旨だと考える。ただ、そのようなことと関連して、新法施行後において、定款の別段の定めとして株主に対して新株引受権を与えるというようなことを定めた場合にも、そのような定款の定めを後に定款変更で廃止または変更できるかどうかという問題がある。この問題については改正法は直接には解決していないが、この附則の規定がその解決に対して何らかの理論的根拠を与えるものかどうか、一つの問題である。
そこでまず、今までの会社の定款にある株主に対する新株引受権の定めが、新法施行後においてどういう効果を持つかということについて一般的に議論してもらい、次に二、三の例について、その効力が今後どういうことになるかという点を具体的に問題にしたいと思う。

大隅 附則第四項で、この法律施行前に定めた株主の新株引受権に関する定款の規定は、この法律施行の際における発行予定株式総数のうち未発行の部分について「その効力を有する」と定めている。この場合におけるその規定の「効力」は、一体新法施行後においても旧法の規定によって判断されるのか、それとも新法のもとにおける規定として判断されるのか、その点はどうなのだろう。

鈴木 問題の意味をもう少しはっきりさせると……。

大森 株主の新株引受権に関する定款の規定でも、その内容如何では、旧法の建前のもとではたとえば具体性を欠いて不備だと解せられるが、新法の建前では不備とされない、というようなものが考えられうる。そのような場合、従前の定款の規定が新法施行後も効力をもつといっても、それは旧法のもとにおける解釈に従った不備のものとしてのみ生き残るというのか、そうでなくて新法下における解釈に従い不備のないものとして生き残るのか、果してそのどちらか。そういう問題ではないか。

大隅 そういう問題だ。

鈴木 そうすると第三項にも関係する問題になって来るが、第三項に関しては、定款の規定が不備であるか不備でないかという問題は、旧法によって判断するのだと思う。そうすると、第四項についても、旧法によって判断することになるかというと、第四項については、旧法から一応離れて、新法のもとにおける株主の引受権についての定めそれ自体として考えて、それが不備のない定めになっているかいないかということを見るのではないかと思う。

大隅　私もそのように考えている。

大森　第三項では、旧法のもとで定めた引受権に関する定款の規定が、旧法の建前では不備とみられるものであったとしても、これがために「会社の設立、新株の発行等々」の効力は影響を受けない、としている。この場合に、効力に影響を受けない「会社の設立、新株の発行等々」というのは、旧法の施行中に行われたそれだけに限定されない。だから、第四項により新法施行後も生残った従来からの定款の規定にもとづいて、新法施行後に新株発行などが行われた場合にも、その新株発行の効力は、その定款の定めが旧法下では不備であったということによっては何ら影響を受けないことになる。結局そういう定款の定めは新法下では不備のないものとして効力を持続している、という結果になる。

石井　その点は未発行の部分については旧法の規定によってみても、それが有効かどうかという判断は、新法で絶対的記載事項ではなくなったということから見ていけばよいので、書いてあることの意味がどういう意味かわかり、それが新法のもとで許されるような内容のものとして理解しうる限り、それはそのような効力を保有する。しかし、たといどういうものであろうと、三項がかぶってきて設立とか新株の発行は無効にならないというだけのことではないか。

大隅　例えば、新法施行の際に存する新株引受権に関する定款の規定が旧法により不備で無効なものであるとすれば、その定めをともなう発行予定株式総数の増加に関する株主総会の決議も無効であるから、本来ならばその発行予定株式に関する定款の規定は新法のもとでも無効なわけであるが、附則の三項でその無効は阻止される。それと同時に、当該新株引受権に関する定款の定めも、附則の四項により新法のもとにおいては不備のない規定として未発行部分の株式につきその効力を保持する、ということになると思う。

西原　私も、新法の意味においてそれを具体化したような定款が生き残るのだという、鈴木君らの考えと同じだ。

石井　私もそう思う。

(7)　定款で定められた株主の新株引受権の性質

鈴木　改正法附則第四項の但し書は、従来の定款が株主に新株引受権を認めた場合にも、その固有権性を否定したものと言えよう。私は妥当な規定と思うが、どうだろうか。

西原　私もやはり固有権性まで主張する必要はないと思う。ことに改正法では株主に引受権がないことを前提としているのだから……。

大隅　私の考えでは、附則の第四項で、新法施行前に定めた株主の新株引受権に関する定款の規定が発行予定株式総数のうち未発行の部分についてその効力を有するというのは、新法のもとにおける新株引受権に関する定めとして効力を保持するのであり、従ってここではもはや固有権とは見られない。それを注意的に規定したものというように解したい。

石井　そうだと思う。ただ問題はもう一つ残る。旧法時代に株主に新株引受権を与えていたのを今新法施行とともに変更できる。これは固有権でなくなったと見ていい。しかし今後新法施行後に新たに株主に新株引受権を与えておいて、後にこれをまた定款変更で奪えるかということは、附則からのみではまだきまっていない。

大森　こういう規定ができたことから考えて、新法下においては、一般に定款によって与えられた新株引受権というものは固有権でないという考え方が新法の全体的基礎になっていると解される、というふうに言えないか。

大隅　私が言ったのは、新法のもとではたとえ定款で株主に新株引受権を与えても、それは固有権でないと考えられる。そういう理論の基礎のもとに、従来からあった定款の規定にもとづく新株引受権も固有権とは認められない。附則第四項はそれを注意的に規定したものと考えるということだが、それを裏返せば大体同じことになるのではないか。

鈴木　大隅君は旧法のもとでは固有権と認めていたのだと思うが、それが新法のもとでは固有権でなくなったと言うのは、どういう理論的根拠によるのか。

大隅　旧法のもとでは、株主の新株引受権は定款の絶対的記載事項で、これを与えるかどうかにつき必らず定款に記載することを要し、しかもそれは株式申込証の記載事項であり、かつ登記事項ともされている点などから考えると、やはり一たん与えられた新株引受権は株主にとって既得権的なものとなり、多数決では奪い得ないとするのが趣旨であろうと思う。

石井　その点について、私は、絶対的記載事項にされていたかどうかということは固有権説と直接の論理的つながりはないと思う。だから新法施行後においては依然として二つの解釈が対立しうる。要するに附則第四項は、過去において株主の新株引受権に関する定めが法律上問題となる余地のものが多かったことから、これを定款の絶対的記載事項とはしないということにして、新法施行の機会に定款の規定を整理するチャンスを与えたわけである。ところで新法のもとにおいては、定款に株主に新株引受権を与えるとか与えないとかいうようなことを定めないような場合がおそらく多くなるのではないかと想像するが、もし、かりに株主に与えると定めたとすると、絶対的記載事項ではなくなったのに、わざわざ定款に書いて与えたのであるから、それは強い意味を持つのであり、従って奪うことができないという議論も出てきうる。だから、既得権は奪ってはいけないという考え方からいうと、やはり奪いえないという解釈も成立しうると思われるので、この点は相当問題になると思う。ただ、定款で株主の新株引受権について定める場合が減るだろうから、その点のトラブルは大したことはないのじゃないかと想像されるだけだ。

鈴木　西原さんはその点をどのように考えられていたか。

西原　私は以前からも、株主の新株引受権は法律が絶対に与えるというように確保したものでもないし、そして資本調達の便宜を抑えてもなお守られなければならない株主の最小限度の利益というのでもないのだから、これを固有権と見る必要はないのじゃないかと考えていたわけであるが、新法ではことに第三者の引受権を極度に制限して株主の保護を考えているから、なおその点が強められたように思う。ことに、定款により与えられた株主の新株引受権は固有権で絶対に変更できないとすると、例えば合併などの場合に、両会社の定款に食い違いがあると収拾がつかなくなり、合併が不可能になるということにもなるから、これを固有権と見ないのがいいのじゃないか。ただ政策として、できるだけ既得権を尊重した方がいいというだけにとどまるのではないかと思う。

大隅　法が株式申込証の記載事項にしたり、登記事項にして公示させるというようなことには、やはりその株主の権利をとくに尊重するというか、多数決では動かせないようにしよう、という趣旨が出ているとは言えないだろうか。

鈴木　しかし、その点はやはり実質的な権利の性質の方が先決問題なのではないかと思う。例えば、会社が発行する株式総数だって、申込証の記載事項になっているし、登記もされるけれども、それを多数決で定款変更により増加することはもちろんできる。また、建設利息の請求権が固有権と認められるのも、申込証に記載されているとか、登記されているとかいうことによるのではなく、利息配当請求権自体の実質的な性質によることではないかと思う。だからやはり実質的に性質如何を問題とすべきではないか。

大隅　もちろんそうなのだが、そういう実質を基礎にして、法は定款の絶対的記載事項や株式申込証の記載事項にしたり、登記事項にしたと見られないだろうか。権利自体の実質的性質といっても、法の規定をはなれてはきまらないのではないかと思う。

石井　その点は大隅君のお話のような考え方もなり立つと思う。旧法全体が非常に株主の新株引受権を強く見ている。少くとも、それに関する問題を強く見ている、という一般的な法の考え方が底にある。ところが新法のもとでは、第三者に対しては非常にやりにくくなるし、株主にも原則として新株引受権はなく、単に取締役会で与えうるにすぎない、ということになっている。このことは新法では株式は公募すべきものである、という公募主義のプリンシプルが、よかれあしかれ強く出てきている。公募というプリンシプルの中で取締役会が公正に動く、というシステムになっていると思う。そういう全体のシステムの中においては、新株引受権は定款で一たん与えたら絶対に動かせないというような強い意味のものとしてはみとめられなくなった、ということが、法の全体の中から見られないか、という問題だと思う。

大隅　私もそういう考え方なのだ。

鈴木　僕は前には固有権だという考えをとっていたけれども、今では西原説に賛成する。定款に株主の引受権について規定するのは、今まさに発行しようとする新株についてきめるのではなく、先の先の将来発行する場合のことをきめるのであるから、それをきめる以上はその規定はどんな事態が起ってももう変えることができないものとしてきめなければならないというのは無理な話である。従って、それは定款が変更されるまでは規定の通り尊重されるというだけのものと考える方がよいのではないかと思う。従ってさき程大隅君が言われたように、従来の法律では、引受権に関する事項はなるほど申込証に書かれ、また登記事項にもなっていた。しかしその点は現在どのような定めがなされているかということを公示するだけのものとみることもできないではない。株主に新株引受権が認められている場合には、株主の意思を聞いて定款変更をしなければそれを奪うことができないし、また、定款を変更すれば、その変更された定款の規定が今度は登記されることになるだけのことだ。そう考えてくると、定款で与えられた新株引受権を絶対に奪いえない固有権というふうに考える方が却って無理なのではないか。

西原　私も株主の固有権は、現在ではできるだけ狭く解釈していいのじゃないかと思う。元本の回収と収益を挙げるというその点さえ保障されれば、従って、具体的に言えば、株式の譲渡性と利益の配当乃至はその利益の配当にかわるものとしての利息の配当ということが保障されれば、それ以外の権利はあまり固有権的に見ない方がいいのじゃないか。さっきの大隅君の話のように、株式申込証や登記において公示されているからそれを基礎に考えるべきだ、ということも一応もっともであるが、そう言えば、例えば会社の目的などは、株主が応募する場合にとって非常に重要な要素になるけれども、これだって定款変更で変え得ることだから、元本の回収と収益の享受に関する権利以外は、固有権の中に入れない方が会社法の動きに適合するのではないかと思う。

大森　私も新株引受権に関する事項が定款の絶対的記載事項か相対的記載事項かということで当然に引受権の性質が変るとか、あるいは登記事項なり申込証の記載事項であるかどうかということで当然に引受権の性質が実質上変ってくる、というようなことはないと思う。しかし大隅さんの話の趣旨は、新株引受権に関する諸事項についての規定の仕方において、旧法と新法との間に著しい変化がみとめられ、その変化の中に、引受権の性質に対する法全体の立場の変化がみとめられるのであって、絶対的記載事項でなくなったり、登記事項や申込証の記載事項から除外されたことなども、そういう新法の全体的な構想の一つのあらわれと見られる、そういう趣旨だと思う。その意味で、改正法のもとにおける株主の新株引受権を固有権と見ない、という考え方に私も賛成だ。それから改正法のもとでは、株主の新株引受権に関する定款の規定は、将来発行されるすべての株式について効力が及ぶ、というような形の規定になるものが普通だろうとは思うが、しかし従来のように、ある総会決議でふやした授権株式数についてのみ引受権がある、というような定款規定ももちろんなしうるだろう。

鈴木　それはできると思う。

大森　もしも、定款に定めた株主の新株引受権が固有権と考えられ、その結果会社側にとって窮屈だというならば、いまいったように、将来ふやす授権株数については当然には引受権が及ばない、という形にしておけば、窮屈さはやや少くなる。

大隅　私も、改正法のもとではもちろん固有権ではないと思う。ただ旧法では、法の立場が非常に株主の新株引受権を重視している。それが先ほど言ったようなところに出ているので、旧法のもとにおけるのと新法のもとにおけるのとでは、必ずしも同一に論ぜられないのではないか、ということを言いたかっただけだ。

石井　その点は大隅君に賛成だ。

西原　大隅君のように、旧法のもとでは固有権だという考え方によると、この改正法附則の第四項が、但し従来の定款の規定を廃止し又は変更することを妨げない、としているのは、前に与えた固有権を奪うことになるから、立法論としては適当ではない、ということになるのか。

大隅　いや、私は先ほど附則第四項の規定について、従来の新株引受権に関する定款の規定が新法施行後もその効力を有するという場合に、その効力は旧法の規定によって判断すべき趣旨なのか、新法の規定によって判断すべき趣旨なのか、という疑問を提出した。それは新法のもとにおける新株引受権に関する規定としての効力を認める趣旨と考えられるが、それにしても旧法との関連においてなお疑問が残るから、固有権でないという趣旨をとくに注意的に明らかにしたのが、第四項但書の規定であると解したいのだ。

西原　解釈はそれでわかるが、しかし一度固有権として取得したものを簡単に立法で変更剝奪できるかどうか、またしてよいかどうか、その点はどうだろうか。

大隅　立法によるならば、そういう変更は可能だし、この場合実質的にも不当だとは考えない。

石井　もちろん立法によれば何をしてもいいとも言えないけれども、過去において固有権と見たこと自体がすでに必ずしも妥当ではなかったという意味で、それについての価値判断が新法において反省されたものとして考えれば、変更してもいいのじゃないかと考える。

(8) 新法施行後も効力を持続する定款規定の意味

大森 附則第四項で、旧法下における株主の新株引受権に関する定款の規定が新法施行後もなお効力をもつ、ということになっている。ところが従来の定款の規定には、例えば「会社が発行する株式総数のうち未発行の株式については株主は新株引受権を有する。但し、その一部につき、取締役会の決議をもって、これを公募し、または会社の役員・従業員等に新株引受権を与えることができる」というような趣旨のものが比較的多いが、この場合、新法施行後においては果してどの部分までが効力を保持するか。第三者の引受権に関する部分は、その次の附則第五項で当然に無効になる。そうすると、第四項によって「株主は引受権を有する。」という本文だけ効力が残るのか、それとも、「株主は引受権を有する。但しその一部につき公募することができる。」というところまでだけ効力が残るのか。

石井 そのような規定の場合には、一部公募云々までが残ると思う。ところが「株主は新株引受権を有する。但し、その全部または一部につき第三者に引受権を与えることができる」というように書き、公募のことが書いてない場合には第三者に対する部分が無効になったとき、その部分について公募ができるのかできないのか、つまり、株主の引受権につきその一部を奪えるのか奪えないのか、こういう問題が必らず起る。そういう会社はおそらく定款変更の必要に迫られるのではないか、という気がする。要するに「全部または一部を公募し、または第三者に引受権を与えうる」というときは、第三者に対する分が効力を失っても、公募による株主の引受権の排除が予定されているといえる。ところが「株主は新株引受権を有する、但し第三者に全部または一部につき、引受権を与えることができる」と書いてある場合には、株主の新株引受権は第三者に引受権を与えることとの関連においてのみ制約されるという趣旨として、その第三者に対する分が効力を失ってしまうと、全部株主にやらなければならないのか、あるいは初めから公募するという方式をとることによっても株主の引受権を制限しうるという趣旨があるのか、定款の中にはっきりとは出てこない。むしろ、第三者の引受権の部分が失効することから、株主が一般的に新株引受権を有するものと解されることになる。従ってそれでは困るというのであれば、そういう会社は定款変更の必要に迫られるのではないか。

大森　結局、一部について従業員等の特定の第三者に引受権を与え得る、という積極面においては効力はなくなるけれども、その部分については必ずしも株主に与えるとは限らぬ、という消極面については効力がなお残るか、という問題だ。

大隅　「特定の第三者に新株引受権を与えることができる」という部分が無効になるならば、本文だけが残って、新株の全部につき株主が新株引受権を有することになる。従って、会社が新法により第三者に新株引受権を与えようと思えばまず定款変更をするよりほかない、ということになるのではないか。

鈴木　普通に解釈すれば、そうなるだろう。しかし、そのような定款の規定のない場合には、株主に元来与えられた引受権は絶対的のものではなく、一部については他の者に割当てることがありうるという意味においていわば留保附のものにすぎなかったのである。従ってその点から云うと、そのような株主の引受権が新法が施行されたために、無制限な絶対的なものに変ってしまうのは、どうも変な感じがする。そこで第一にこう云うことは考えられないか。附則第五項によれば、第三者の新株引受権に関する従来の定款の規定は効力を失うことになっているが、それは新法に反する限りにおいて効力を失うだけのことであって、すべて効力がなくなるわけではない。従って、発行する新株の一部については、新法の手続によって総会の特別決議を経れば第三者に新株引受権を与えることもできる、という考え方は成り立たないだろうか。もし、今までの定款に、「当会社の株主は新株引受権を有する」とだけしか定めず、あとは何もきめてなかった場合には、新法施行後それはどうなるか。

石井　その規定がそのまま効力を持続するから、定款を変更しなくては公募することもできないし、また、第三者に引受権をやることもできないのではないか。

鈴木　もちろんそうだと思う。しかし、そうだとすると、そのような「株主は新株引受権を有する」と書き放しにした定款と、さきほどから問題にしているような但し書のついた定款とが、新法施行後には全然同じ効力のものとなってしまうのは、おかしくないか。定款を変更すればもちろん明確になるが、変更しないでも何とかならないか。

大隅　鈴木君が言われる趣旨はわかるが、附則第五項本文の規定からそういう解釈を導き得るかどうかということになると、困難なように思う。

石井　私も無理ではないかと思う。

鈴木　私も疑問だとは思うが、全然筋の通らない解釈ではないと思う。もっとも、新法の規定に反する限り効力がなくなるだけだと云うと、「役員、従業員等に与えることができる」と定めてあるのだから、新法の手続によって第三者に新株引受権を与えることができるとしても、その第三者の範囲は役員・従業員等に限定され、誰にでも与えることができることにはならないと考えるほかないともいえる。

大隅　鈴木君のいまの疑問は当然に出てくる。従来の定款の規定で第三者に新株引受権を与えるといっても、それは役員・従業員など特定の第三者にだけ与えるということなのだから、かりに新法のもとでその規定にもとづき第三者に新株引受権を与えることができるとしても、当該の特定された第三者にしか与えられないではないか、ということになる。それを一般的に公募できるとか、あるいは新法の定める手続によってすべての第三者に与え得るというように解するならば、何としても無理だろう。

石井　要するに第五項との関連で、株主の新株引受権と第三者の新株引受権とがからんで書かれている場合の問題と、一部無効になったものの意思解釈如何という問題を生ずる。従って会社は当然に定款変更を要すると思う。

鈴木　定款変更を要するとしても、その理由如何はやはりはっきりさせておく必要がある。つまり、今までと全然違って、役員・従業員に対しても新株引受権を与えることができず、全部を株主に与えなければならないことになるのが困るので、定款変更を要するのか、それとも新法施行後も、役員・従業員等に対しては新法の手続さえとれば与えることができるが、その他の者に与えることができないのでは困るため、定款変更することになるのか、そのどちらかという問題がある。

大隅　私は前の意味だと考える。附則第五項本文からいって、「役員・従業員に」新株引受権を与えることができるという部分――その与える手続は新法の規定によるにしても――だけは効力が残るという解釈は困難ではないか。

大森　私は、附則第五項が鈴木さんが問題にされたような趣旨なら、も少しはっきりした形でその趣旨が表現されるはずではないかと思う。第五項は単に、「新法の施行前に定めた第三者の新株引受権に関する定款の規定は、新法の施行後はその効力を有しない」とだけ定めている。これはやはり、従業員や役員に引受権を与えうるとしているその定め自体が効力を失う、という意味に読むのが素直ではないか。従業員などに引受権を与える手続の問題だけについて、それは旧法時代のような手続では与え得ないのだ、ということを定めているにすぎない、と読むのは無理のように思える。

鈴木　そうすると、大森君は、「株主は新株引受権を有する、但し発行株数の一部について取締役会の決議により役員従業員に新株引受権を与えることができる」というような規定が従来あった場合に、新法施行後に定款変更をしないときそれはどういう効力をもつと解するか。

大森　「株主が新株引受権をもつ」という部分は、附則第四項で効力を保持することになるが、第三者に引受権を与えうるという部分については効力は失われるのではないか。はなはだ素朴な読み方かも知れないが。

鈴木　そうすると、新法施行後は、第三者に新株引受権を与えることができないので、株主は発行株数の全部について絶対的に引受権をもつということになるか。

大森　従業員などに引受権を与えうるとしていた積極面に関する限り、全く効力を失うと思う。ただ、従来の規定が、第三者に引受権を与えうる、とすることによって間接的に、株主の新株引受権も必ずしも発行株式数の全部についてあるとは限らず、一部分については引受権は及ばないこともありうる、ということをあらわしていた消極面に関する限りは、あるいは定款の効力が残り、従って一部分については株主の引受権をみとめず少くとも公募はできる、という考え方はありうると思うが、せいぜいその程度ではないか。

西原　しかし、その場合に但書だけ無効になって、本文だけが残ると考えていいか、あるいは、但書と一括して引受権に関する規定全体を無効と考えるべきか、という問題はやはり残る。

大隅　その考え方は、ちょうど電気化学工業事件の判決（昭和三〇・二・二八東京地裁判決、ジュリスト八〇号七二頁）と同じようなことになると思うが。

鈴木　判例の考え方だと、一部につき公募できるとか、役員・従業員等に新株引受権を与えることができるとか書いてあれば、すでに旧法下の効力として引受権に関する規定が全部無効になると解釈しているわけだが、西原さんが問題にされるのは、それとは違って、旧法下の問題としてではなく、新法下の問題として考えているのだと思う。

大隅　しかし、西原さんも株主が新株引受権を有するという規定と特定の第三者にこれを与えるという規定とを不可分的に考えて、第三者に与える分が無効になるならば、新株引受権に関する規定が全体的に無効になるのではないかと言われるのだから、この点に関する限りでは、電気化学工業事件の判決と同じ立場だと思う。

西原　私はあの判決には全体として賛成していないが、いまこの問題で本文と但書とを一括して失効すると見るのは、それによって改正法の一般原則に復帰させる方が当事者の意思に適合すると思われるからだ。さっき石井君の出された設例では、特定の第三者に引受権を与えるということと公募ということを言っておられた。その場合特定の第三者に関する部分が効力を失って、株主の引受権が無条件に一〇〇パーセントあることになるというのではなくて、やはり公募といった制限、あるいは改正法の正規の手続をふめば第三者にも与えられるという制限が残るということは言えるのではないか。

大森　第三者の分は第五項で無効になるから、但書のうちの、一部については株主に引受権を与えることを要せず、公募できるという部分が残るという格好になる。

西原　その場合にはやはり全部について株主が引受権を持つのではない、ということが前提とされているのだから、それを本文だけ生かすということは、定款を作ったときの意思とはかなり違ってくる。そのように当初の意思を重視する点では鈴木説に近くなってくる。

石井　やはり私は絶対的記載事項と相対的記載事項とわけて、たとい相対的記載事項が無効でも、定款そのものは無効にならないと思うし、こういう附則が出た以上は、第三者の引受権に関する部分は無効になっても、株主のそれに関する部分の方だけは残るという結論にならざるを得ない。ただ、今西原さんがおっしゃったように、第三者に与えることとの関連において株主の権利が制限されていたのが、法律改正の結果、当事者が最初に予定しない結果が出てくる。これを鈴木君の話のように趣旨を汲んでいこうということになると、第五項と正面からぶつからないかという心配がある。

鈴木　僕が問題にしたのは、当初株主の新株引受権が制限的なものにすぎなかったのに、それが新法の施行によって絶対的なものになるのはおかしくないか、ということである。そこで先ほどのように、従来の定款の規定も新法の規定に反しない限り効力を認めるという考え方はどうかという疑問を出してみたのであるが、その点は附則第五項の規定がある以上やはり無理だと思う。たとい、第三者の引受権について新法施行後に新法の規定に反しない定めを新たに定めたとき、その反しない限りにおいて定款の定めが効力を認められるにしても、新法施行前に定めた第三者の引受権に関する定款の規定は、新法施行とともに、それを御破算にしてしまうのが、附則第五項の趣旨だろうと思う。その意味で私の疑問に対する諸兄の批判に承服する。しかしそれにしても、第二の疑問として、こういう考えは成り立たないだろうか。それはさき程大森君が一寸ふれたことであるが、株主の引受権が元来絶対的なものでなく一部については、公募され、または第三者に引受権が与えられる可能性をもった留保附ないし制限的のものであったということである。従ってその一部については、新法施行後は新法の原則によって総会の特別決議を経れば第三者——従って役員・従業員等に限らず、誰にでも——新株引受権を与えることができる。つまり、第三者の引受権に関する規定が一部生きているという考え方からではなく、株主の引受権が元来制限的なものであったというところから、結論を出そうとするわけだ。

大隅 お説の通り、その場合株主の新株引受権は制限附であるが、しかしその制限は役員・従業員など特定の第三者に新株引受権を与えるためにのみ認められた制限だ。だから、この制限を利用して株主の公募をすることは、もともと許されないことである。しかも、附則の第五項は役員・従業員に対し新株引受権を与えるという規定自体も無効だとしているのであるから、結局全部の新株引受権が株主に行くほかない、というのが私の考えだ。一体西原さんや鈴木君のお考えでは、「株主は未発行株式につき新株引受権を有する。但し取締役会の決議をもってその一部につき特定の第三者に新株引受権を与えることができる」と定款にある場合には、その一部については、新法のもとでは公募もできるというのか、それとも第三者に新株引受権を与えて発行することしかできないというのか。

鈴木 それは今いった僕の考えからすれば、株主の引受権は一部につき第三者に引受権が与えられるという形で制限的なものであったのだから、公募することはできぬこととなろう。

大隅 しかし、改正法のもとでは、株主総会で第三者に新株引受権を与えるという決議が成立しない場合があるだろう。その場合にはどうするのか。

鈴木　そのときは全部について株主に新株引受権を与えるほかない。

大隅　西原さんの考え方からいえば……。

西原　定款のその規定全体を失効させて、法律の規定だけによる結果となる。

大隅　そうすると、鈴木君とは大部違う。

鈴木　附則第四項が、株主に新株引受権を与えると定めている定款の規定は、その未発行部分については効力を有するとしているのは、定款を変更しない限りなるべく今までの体制を認めようという考え方だと思う。だから、全部失効すると解するのは、その法の趣旨に離れてしまうのではないか。

西原　だが、その場合株主に引受権を与えるといっていても、他に与える分の間口を広げて、実質的にはゼロに近いようにもなし得たのだから、そこのところは実質本位に考えてもいいのじゃないだろうか。

鈴木　その点になると、「一部につき」ということの解釈問題になる。株主の引受権を実質的にゼロにしてしまうようなことをして、それで一部だからいいと云えるかどうか、問題である。

石井　おそらく新株引受権を第三者に与えるという趣旨を含んでいない定款例は少いと考えるが、西原さんのように言われると、ほとんど全部の定款の規定が無効になってしまう。

西原　その方が改正法の合理的規定に従う結果となってよいのではなかろうか。特例を認めようとする会社は、定款の変更をすればよい。

石井　政策論をするようだが、せっかく定款変更ができるのだから、会社としては第三者に関する引受権の定が失効するということは解っているのであるから、それを考慮に入れて従来の定款を考え直してみて、あいまいな定款は直していく方がいい。あいまいな定款がそのまま残って、どういう意味かわからないでいく方がトラブルが起るのではないか。

鈴木　私も定款変更をすることが認められているのだから、各会社にとって一番安全なのは、このような定款の規定がある場合には、その規定を全部削除してしまうことだと思う。そこで改正法施行後の定時総会の機会にそのような定款の規定を削除してしまえば、後くされのない点からいうと、一番工合がいいに違いない。しかし、これに対しては、今までも、株主に新株引受権を認めることも認めないこともできたのに、株主に一応新株引受権を認める立場をとって来た以上、法律が変ったところで、定款をもって株主に新株引受権を認めることが許されていないのではないから、この点を直ちに変えるのはまずいと考える向きもあるだろう。その上、普通の定時総会ならば、普通決議でよいのに、定款を変更するとなると特別決議が必要だから、定足数をみたさねばならないため、費用や手数もかかるわけである。

そのように考えると、例えば名簿の閉鎖の規定などで、どうしても定款を変更しなければならないことが他にあればともかく、そうでない限りは、今すぐにいそいで削除してしまうこともないのじゃないか。残しておいても、改正法施行時現在の未発行株式についてだけしか効力がないのだから、それまでに新株を発行するとき、株主に全部新株引受権を認めて発行すれば、もちろん問題はない。さらに、一部を公募するとしても、その定款のままで別段さしつかえがない。従って、第三者にも新株引受権を与えようとする場合にだけ問題が生ずるにすぎないわけだ。しかし、第三者に新株引受権を与えるのには、改正法では総会の特別決議が必要なのだから、今までの定款の規定では心配だと思えば、その総会でまずその定款の規定を削除するなり、適当に変更するなりして、それから第三者に新株引受権を附与する決議をやればよい。

だから、実際問題としては、時期はいま直ぐにでも、また、必要が生じたときにでもよいが、ともかく、第三者にはいままでの定款の規定に手を加えてから新株引受権を与える方が、問題がなくてよいに極っている。しかし、解釈論としては、定款変更をしないでやったらどうなるかということをやはり問題にしないわけにはゆかない。

石井　附則の四項と五項に、株主と第三者の引受権が分けて規定されているが、実際の定款には両方が一緒に規定されているので、そのところに問題が生じるわけである。そして私としては、やはりさっき云ったように解するほかはないと思っている。株主の引受権が制限される色々の定款の規定について、第三者の引受権に関する規定が失効することになった場合、それが明定されていた制限の形と離れて、ともかく、なんらかの形で「制限」が過去にあったのだから、その定款の趣旨は新法の予定する方法で当然に制限しうるということは無理だし、又逆に定款の定が全部無効となるという考え方も附則四項・五項の解釈としては妥当でないと思う。

三　第三者に対する新株引受権の附与

鈴木　以上で、株主に対する新株引受権の附与についての問題が一応すんだので、今度は第三者に新株引受権を与える場合の問題を取扱いたいと思う。従来の法律では、第三者に引受権を与えるためには、その第三者を特定してそれを定款に定めておかなければならないこととなっていた。そしてこれは会社の発行する株式総数を増加する場合にも同様であった。その場合に、第三者を特定しなければならないという、その特定はどういうふうに定めたならば特定したことになるかということが、非常に問題になったわけである。普通は役員、従業員、旧役員、旧従業員といったような形で書かれていて、それならばよいが、縁故者あるいは取引先というようなのではいけない、しかし特約店というようなものならばさしつかえないというような取扱いが、登記所側でなされて来た。しかし、定款にこのように記載されていれば、それにもとづいて取締役会がそのような第三者に対して適宜に引受権を与えることができ、しかも、新株引受権を与えることができる株式数についても取締役会が決定し得たのである。その結果として、実際には例えば縁故者に与えるようなことも、一たん取締役に与えるという形式をとり、それから縁故者に譲渡するというようなやり方で行われたようにも聞いている。

いずれにせよ、このように第三者に対して新株引受権を与える場合には、新株の発行価額は時価によらないでよい。額面株でいえば額面以上ならば差しつかえないので、それによって株主の利益が重大な侵害を受けることになる。そこで、このような弊害を除去するため、新株引受権を第三者に与えるについては、それを厳重に制約することが必要とされ、そういう考え方が強く現われたのが、要綱の第三である。そこでは、新株引受権を株主以外の者に対して与えるには、その与えるべき株式の額面無額面の別、種類、数、発行価額につき、株主総会の特別決議による承認を得なければならない。そしてその場合には、取締役はその者に対してそのように新株引受権を与えなければならない理由を開示することを要する。そしてその決議は六カ月たっと効力を失うということにしたわけである。それが改正法においては二八〇条ノ二の第二項となっている。すなわち、まず取締役会が新株発行決議をするが、その決議の一つの事項として第一項第五号に「新株の引受権を与うべき者並びに引受権の目的たる株式の額面無額面の別、種類、数及び発行価額」を掲げ、これによって、第三者に新株引受権を与えるについてもかようなことを取締役会がきめるということにしている。しかし同条第二項において、そのような場合には、ただ取締役会限りで与えることはできないのであって、与えることを得べき引受権の目的たる株式の額面無額面の別、種類、数及び最低発行価額について総会の特別決議を経なければならない。そしてその特別決議では、なぜこのように第三者に新株引受権を与えなければならないかという理由を開示する必要がある。そしてその決議は、決議後最初に発行する新株で、その決議の日から六月内に払込をなすものについてだけその効力をもっている。こういう規定になっているわけである。

そこでこの考え方は、つまり、株主総会において、取締役会が第三者に対して新株引受権を与えることができる、いわばワクをみとめてもらわなければならない。そしてそのワクとしては額面無額面のいずれか、種類、数、それから最低発行価額などが定められる。従ってこの数というのも、最大限を意味するものと思われる。そしてそのようにしてみとめられたワクのなかで、具体的にだれに対して新株引受権を与えるか、また、引受権の目的たる株式は具体的にはどういう株式であって、何株であるか、その発行価額はいくらかということを取締役会できめる。こういう形の規定と了解されるわけである。しかしこのような第三者の新株引受権に関する改正法の規定は、いろいろ不明確な点もあるし、問題になる点があるように思うので、これをその次の問題にしたいと思う。

(1) 総会決議と取締役会の決議との関係

鈴木 第一に、取締役会の決議と株主総会の決議とがどういう関係になっていくかということが、実際上は非常に問題になるだろうと思う。もちろんあらかじめ取締役会で例えば某々銀行に株を持ってもらおうじゃないか、というようなことについての話合いもあるだろうし、株主総会の議題をそこできめるわけだから、いわば特別決議をやる総会の事前において取締役会において話合いがあるということになるだろうと思う。しかしこの二八〇条ノ二第一項第五号に定めてある事項の決定ということは、総会の決議以後においてなされるという形が一応考えられているのではないか。

大隅 もちろんそうだろうと思う。

大森　さっき総会がワクをみとめるということを言われたのは、いまのように総会の決議が先行するという考え方だろうと思う。しかしどうだろうか、取締役会では総会の決議があることをいわば条件にしたような決議をしておいて、あとで株主総会の決議を求める、というふうなやり方はいけないということなのか。

鈴木　それもいけないということではないだろうと思うが……。

大森　実際的に言えばいま私の云ったようなやり方が便利とは言えないか。

石井　法律論としては総会の決議は取締役会の事前、事後、どっちでもいいだろう。事前に限るということはないだろう。

鈴木　事前に限るということはないとも思うが、この規定の書き方を見ると、形は僕が今言ったようになるのではないのか。

大隅　私もそう思う。まず株主総会の決議で新株引受権を与うべき者の範囲及びその新株引受権の内容を定めて、その後の取締役会の新株発行決議でそれを具体化する。法はそういう仕方を予想しているように見える。

鈴木　第二八〇条の二の第一項第五号には新株の引受権を与うべき者というものが出ているのに、第二項の方にはそれが現われていない。これは立法の過程で非常に問題になったポイントであるが、株主総会にかける場合には、新株引受権の付与を必要とする理由を開示しなければならぬのだから、それで、者というものもおのずから大体のところが判るだろう。総会で具体的に引受権を与うべき者をきめさせるのは無理なこともあるし、そこまで要求しなければならぬほどのこともない。そこで新株引受権の付与を必要とする理由が総会に開示され、そして総会の決議でそのワクがきまればそれでいいことにしたわけだ。従って取締役会においてそれを具体化しなければならないことになってくるので、第一項の第五号によりそれが決定される。法の規定はそのような形を予想しているとみざるをえないが、しかし、大森君の話のように、総会の決議を条件として取締役会で決議しても、それではいけないとする必要もないだろう。合併決議を条件付にやってもいいという考え方がこのごろは多くなっているけれども、昔はむしろ予約をする、それから総会の決議を経てから本契約をやるという考え方が多かったと思うが、それが今では変って来ている。それと同じような形で、いわば条件付に取締役会の決議をやることはいけないということはないと思う。しかし、総会できめるのは必らずしも具体的でなくてもよく、若干おおまかなワクがきめられればいいのだと思う。

石井　私は実際の運用としてはどっちもあまり変りないと思う。法律的にはどっちが先、あとと言ってみても、例えば取締役会で新株の引受権を与うべき範囲をきめるときにすでに取締役会では与うべき者まで大体きめている。しかし、それは伏せておいて、そしてまた発行価額も大体考えているが、最低発行価額をきめていく。そういう形で総会にかける。あとで取締役会が開かれて、最低発行価額と与うべき者をきめたということにしても、総会できまればこういうことにするというきめ方もあるので、結局前後ということよりも、総会の決議を要するということにポイントがあると思う。

大隅　大森君の言われたのは、まず新株発行に関する取締役会の決議があって、その後新株発行の手続に移るまでの間に株主総会の決議を求めるという意味だと思うが、それならばもちろん差支えない。しかし、第三者に新株を割当ててしまってから、総会の追認を求めるのではいけないと思う。

石井　勿論そういう意味ではなく、新株発行の手続に移る前のことだが、さっきいったような例のときに、もう一ぺんあとに取締役会を開かなくても総会で決議が成立したらこうする、というふうに取締役会できめておいていいのじゃないかと思う。

大森　実際問題としては、最初の取締役会で具体的なプランはでき上っているのではないかしら。総会へかけてその決議があってから、もう一ぺんあらためて取締役会できめるという手続をとることとは必らずしも必要でないだろう。

西原　私もそう思う。

大隅　法律の規定自身は、むしろ事前に株主総会の決議を経て、それにもとづいて新株発行手続をするという形になっている。しかし、大森君の言われたようなやり方がいけないとか、違法だとはいえない。

鈴木　そこでもしそうだとすると、二八〇条ノ二の第一項の一号から四号までのものは、五号とは別のものか、つまり法律の建前としては、この両者はそれぞれ別のときになされるという考え方をしているのか。全部を話合いの程度でとめておいて、まず二項の総会の決議を終ってから、一号から五号までの事項をきめるというつもりでいるのか。それとも五号の事項だけはあとで決めればいいのだと考えているのかどうなのか。五号の事項が総会を通らなければ一号から四号までの事項も変ることがあるということから言えば、やはり全部を一ぺんにきめると考えていると思われる。

大隅 そうだろうと思う。

(2) 第三者の新株引受権に関する定款の規定の効力

鈴木 では次の問題に入ろう。二八〇条ノ二の第二項に「定款に之に関する定あるときと雖も」云云という規定がある。この規定によると、第三者に引受権を与えるのに総会の決議を経なくてよい、というような趣旨の規定が定款にあってもそれは無効で、必らず総会の決議を経なければならないということを示している。その点は至極明確であって、それがこの規定のねらっているところだと思う。しかし「之に関する」と書いてあるので、逆に新株引受権を与えることができる第三者の範囲であるとか、あるいは発行価額等についてこれを制限する定めが定款にあっても、総会はそれを無視してその範囲外の人に新株引受権を与えたり、あるいはその最低発行価額以下で新株引受権を与えたりすることができる、というような解釈も文字からすればできないではない。その点はどう考えるべきだろうか。

石井 「定款に之に関する定あるときと雖も」次のことをきめろ、と定めてあるわけだ。だからそのときに定款に、例えば誰々にやる、役員、従業員に一パーセントやると定めているときにも、具体的には勿論株主総会の決議は必要だが、株主総会でやらないと決議することはできるか。この点は疑問を生ずるかとも思うので問題とするのだが。

鈴木　やらないという決議はもちろんできる。定款に役員、従業員にやると書き放してあっても、定款に書いておいただけでは駄目で、総会の決議が必要である。だから、そう書いてあったら、総会が与える決議をしなければならぬ、ということにはならないと思う。

石井　いまの文言は、定款で特定の第三者に与えることを得ると書いてあるだけなら与えるには必らず株主総会の決議が要るが、必らず与えるという決議をする必要はない。ところで、毎回発行の一パーセントを与えるというような書き方をしているときにも、与えるには株主総会の決議が必要だから、結局そんなことは定款に書いてあっても意味をなさないということになるが、この場合、株主総会で与えないという決議ができるかということはこの規定からは必らずしも明瞭でない、という考え方は生じないか。

鈴木　石井君の今言われたような読み方も一部にはあるようだ。

大隅　「定款に之に関する定あるときと雖も」とあるのは、たとえ定款で与えると定めてあっても、現実に与えるためにはやはり株主総会の特別決議が要る趣旨だろう。その意味で、定款の規定は拘束力をもたない。もちろん右の規定はそればかりでなしに、定款で取締役会の決議により与えることができるとなっておっても、やはり株主総会の決議が要るという意味もある。あとの方は当然のことだが、定款で役員・従業員に新株引受権を与えると定めていても、別に株主総会の決議がなければ与えられない趣旨も当然含まれていると思う。

鈴木　かりに石井君の想定したような読み方をして、定款に第三者にやるという規定があればやらなければならないと言っても、その与える株式の数は零だという決議をすれば否決したのと同じことになる。しかしそういう意味ではなく、やるかやらないかという決定権は総会が握っているのだというように解しなければならない。

石井　私も総会が決定権を握っていると解すべきであるし、又二八〇条ノ二の改正規定も、その趣旨だと思う。しかし、そうだとすると定款で第三者に引受権があるなどということは、初めから書かさないほうがいいので、書くことを認めると、それが少くとも取締役会を拘束するかとか、或は私がさっき出したような疑問も出てくる虞れがありうるというだけのことだ。

西原　総会が決定権をもっていると解しないと、その必要とする具体的な理由の開示を要求したということと、定款規定の一般性との関連で意味がなくなる。

大森　鈴木さんのお話だと、定款で発行価額や引受権を与えうる者の範囲を限定しておいたら、総会はそれに拘束される、というのだが、それは定款というものの一般的な効力から出てくることか。

鈴木　定款というものの一般的な効力として出てくる……。

大森　それならばわかる。いまのことは、「定款に之に関する定あるときと雖も」の文句とは直接関係のない一般的な問題のように思う。

鈴木　この規定は定款にどう定めてあっても、総会の決議が必要だと言っているだけのことであって、定款にそのような決議をする場合の制限を定めている場合にも、自由に決議できるとは言っていないと解すべきではないか。だから、定款の一般的な効力と、この規定が総会の決議を要するといっている点から考えると、定款でしばられていれば総会はどうしてもそのしばられたままで動くほかはないが、これに反して、定款が法の定めている要件を緩和してもそれは駄目だ、ということだ。

大森　「雖も」というのは、いまのお話の最後の点を表現しているものとして読める。法の定めたところよりもより厳格にしばる定款は拘束力を持つということは、定款というものの一般的な効力から出てくる問題にすぎぬように思う。定款が要件をゆるやかにしていてもそれは無効で、やはり総会にかけなければならぬ、という趣旨が「雖も」という文句に強く現われていると思う。

西原　そうでないと「雖も」ということが生きてこない。しかしいわゆる定款のこれに関する定めのなかには、要件をゆるやかにするもののほかに厳格にするものもあるから、この表現の仕方はまずいと思う。

大隅　非常にわかりにくい。

鈴木　そのように考えても、なお問題になる点がある。定款で発起人の特別利益の内容として、発起人に新株引受権を与える場合がありうると思うが、その場合でも、この規定ができた以上は、や

は り総会の決議がいることになるのか、それともその場合は当然例外で決議は不要なのか、という問題がある。

大隅　特別利益は例外だろう。特別利益は裁判所の選任した検査役の検査を経なければならないのだから、ここで定款のこれに関する定めというのは、そのような場合は包含していないと思う。

石井　私も特別利益は例外だと思う。

西原　賛成だね。

(3)　引受権附与の理由の開示

鈴木　その次に、「株主以外の者に新株の引受権を与えることを必要とする理由」の開示というのは、どこまで開示したらいいか、また、その理由というものは合理的な理由でなければならないか、という問題がある。一部には、これは合理的な理由でなければならないという見解もあるようだ。しかし私は、理由の開示を必要とするという以上、全然開示しないのはもちろん決議の瑕疵の問題になるが、とにかくそれについて常識的に考えて相当とみとめられる程度の詳しさで理由が述べられ、それについて株主の方が質問もしないで、賛成ということになったら、それで理由の開示があったことになるのではないかと思う。また、その理由が客観的に合理的なものでなければならず、例えば取締役の功労に報いるというようなのは理由にならない、という考え方もあるようだが、総会の決議でそのような理由でも新株引受権をやろうということになったのならば別に差しつかえないと思うが、どうだろう。

大隅　私もそのように考えている。客観的に納得のできる理由でなければならないということはない。一応ある程度の理由が述べられ、総会でそれを聴いた上第三者の新株引受権を認めた以上は、それで差しつかえなく、決議の瑕疵とはならない。もし問題が起るとしても、それは多数決の濫用といったようなことによる別の問題だろう。開示される理由が客観的に納得できるものでなければいけないとか、合理的なものでなければならないということまで要求すべきではないと思う。

西原　私もその点同感だ。結局株主総会で賛成するか反対するかを定める一応の材料さえ開示されればいいのであって、相当でない理由であれば、総会でそれに反対すればよい。だから、理由の開示というなかに合理的な理由だけを要求する必要はないと思う。

大森　いやしくも総会で議案を出せば、原則として、一通りその提案理由を説明するのが普通なので、ただ普通一般の場合には、かりに理由の説明なしに、しかも株主から質問もなしにそれですめばそれでよい。ところがこの場合には株主から要求があるなしにかかわらずとにかく理由を開示しなければならぬ。普通の場合とこの場合との間にはそれぐらいの違いがあるのにすぎないような感じがする。普通一般の場合どうだろうか、理由の説明もなく、しかも株主から質問もしないでそのまま決議が成立してしまった場合には、決議の方法の不公正というようなことが成り立ちうるだろうか。

大隅　一般の場合には、もし取締役が理由の説明をしなければ、株主は質問権を持っているのだから、みずから質問すべきだ。その質問権を行使しないで決議を成立させてしまえば、それで決議の瑕疵にはならないと思う。

鈴木 それが、この場合には積極的に一応理由を説明しなければならないということにしているのだと思う。だから、この場合でも、そのような一応の説明で充分でないと思えば、株主の方で質問すればいい。

石井 私も理由が合理的でなければならぬということはいらないと思う。ただ真の理由を伏せてほかの理由を言ったときに問題が起るぐらいだ。

鈴木 そのときはそうだろう。

大隅 そこで具体的にいって、例えば従業員を企業に参加させる必要があるからとか、会社の金融の道を講ずる必要があるからとか、外資を導入する必要があるから、といった程度の開示でいいだろうか。

鈴木 大隅君が言うのは、外資が必要だというためには、計画のようなものまで全部言わなければならないかどうかという意味なのだろう。

大隅 そう、ある程度詳しくだね。

鈴木 僕はそこまで言わなくてもいいと思う。

石井 それはそうで、計画よりも開示している理由のうちに、与うべきものの範囲がおのずから推測できるようなものであることを要し、それで足るのではないか。

鈴木　それもしかし、今言われたように、必らずしもコンクリートに説明しなければならぬことはないと思う。

大隅　外資を導入する必要があるので、その外資を供与する会社に引受権を与えるといった程度だね。簡単に言えばそれでいいのではないか。

もう一つ私が疑問に思っているのは、「新株引受権の目的たる株式の数」を総会の決議で定めることになっているが、この数の定め方は、例えば申込期日までに引受のない株式という程度でもいいのか。発行する株式総数の一割以内という程度でいいのか。あるいは何万株以内というように具体的に定めなければならないのかということだ。いまの例のうちあとの二つはいいと思うが、申込期日までに申込のない未引受株式というような漠然とした抽象的なことでもいいだろうか。

大森　その場合はしかし限度についての定めが非常に幅が広いから大いに問題だ。

石井　さっき鈴木さんの話に出た最大限度を定めねばならぬという要請があるとすれば、いまの話のような定め方はいけないということになる。

鈴木　その問題を単に抽象的に考えると、それを認めないと実際上不便なようにも思われるけれども、それほどのことはないのではないか。非常に業績がよい会社で、新株引受権を与えられることによってプレミアムを稼げるような場合だと、未引受株はそんなにないだろう。これに反して未引受株が非常に多くなるだろうと思われるようなときは、プレミアムが貧弱な場合であり、従って新株引受権をもらっても別に有難くもないわけである。言いかえれば、いい会社の場合だったら未引受株の最大数というものもある程度予測もできるだろうし、逆に悪い会社の場合には新株引受権をわざわざ与えるようなことは殆んど問題にならないだろう。そう考えると、あまり実際的には議論する実益がないことかもしれない。しかし理論的には問題になる。

大隅 私はむしろ、会社で決議をする場合に実際上問題になりはしないかと推測して、この質問を出したのだ。

西原 いい会社でも株主の所在不明とか何とかで若干やはり未引受株が出るらしい。

鈴木 しかし、それは今までの経験からみて大体推計できるのじゃないか。

西原 むしろ打切発行制のもとでは、濫用の危険のあるプレミアム利得というものは全面的に排除する、という厳格な行き方がすっきりするような気がする。

大隅 私は、申込期日までに引受のない未引受株式といった、その範囲が株主に予測できない全く抽象的な定め方はいけないと思う。やはり発行する株式の何パーセント以内とか、何万株以内とかいうように、ある程度の具体性をもって定めるのでなければいけないのではなかろうか。

鈴木 未引受部分は、別に新株引受権の対象としなければならないことはなく、公募ないし縁故募集をすればよいのだから、そのように解しても、実際上会社が困るようなことはないと思う。それに、新株引受権を与えることを必要とする理由というのを先ほどのように客観的に考える立場からは、未引受株式を公募しないで新株引受権の対象とするようなのはもちろんいけないというだろうが、そうでない立場をとっても、正面切った理由とはなし難いと思う。

(4) 総会決議の有効期間

鈴木　二八〇条の二の第三項はほとんど問題ないと思うが、第四項は要綱第三では、総会決議の効力の存続期間を限定するのに、決議の日から六月を経過したとき、または決議後新株の発行があったときは、その効力を失う、という表現になっていた。そうすると何時がここにいう発行の時かということについて、それでも払込の時だという解釈も充分立つとは思うが、とにかく疑問が起る。そこで改正法では明確に「払込を為すべきもの」という表現をとることにしたので、これでその点については解釈上問題がなくなった。従ってこの規定自体にはほとんど問題がないが、ただ、決議で六カ月以内よりももっと短い期間を定めること、例えば三カ月内に払込みをなすものについて、といったような定め方をすることができるかどうか。多少問題になるが、できるといってよいのではないか。

大森　それはできると思う。

石井　総会の決議は取締役に対する授権だろう。だから授権のときに絞って授権することはいいだろう。

西原　実際界では六カ月さえ短いという意見もあるのではないか。

大隅　若干考えられるのは、営業年度を一年にしている会社が営業年度の中途で新株を発行する場合に、定時総会を利用できない場合があるということであるが、しかしこれはどちらにしても同じことだろう。

大森　この「決議後最初に云々」というのは、さっき言ったように、まず取締役会がいわば条件附に発行決議してからあとで総会の決議にかける、というやり方を否定する意味は入っていないと思うが。

鈴木　そういう意味は入っていないと思う。それから、この点については、もう一つ、この規定のように、なぜ一回の発行に限らなければならないか。六カ月内だったら二回に出したっていいじゃないかという議論があった。外資を導入するとか金融を受けるとかいうような場合に、その相手方について予定を立て、例えば百万株の新株引受権を与えるというようなことで決議してもらったところが、その中の六十万株はめどが立った、しかしあとの四十万株はめどが立たないので、先の分だけについて引受権をあたえて新株を発行した。ところがその後残りの四十万株についてもめどが立ったので、これにつき新株引受権を与えたいと思っても、それはできないということになるから、不便ではないか、そういうふうな意見があった。しかし、濫用の弊が起るだろうということから、そういう場合にもすっかり対策を立ててから発行すべきだ、そういう行き当りばったりのことはやらせない方がよいということで、そのままになったのだと思う。

(5)　新株引受権を与うべき第三者の特定性

大隅　第二八〇条の二第一項第五号の「新株引受権を与うべき者」が第三者である場合には、当然甲・乙・丙といったように具体的にきめなければいけないだろうね。

鈴木　しかし例えば、特約店に対して一年の取引高一万円に対して一株というふうな割合で与える、ということを取締役会できめたのではいけないだろうか。特約店のリストを持ってきて、具体的に一々きめなければいけないということもないと思うが。

石井　その場合は特定しうるだろう。だからそれはきめたことになる。

鈴木　ちょうどさっきの株主に与える場合について、株主という範囲があってその基準をさえきめれば当然具体的に特定されるからよいというのと同じような考えでね。

大隅　それならばいいだろう。その基準によって甲・乙・丙が特定されるということは、機械的に行われるのだから。

鈴木　それで具体的にきめたといってもいいわけだ。

西原　氏名まで挙げる必要はないだろう。

鈴木　それと、関係してくることだが、取締役会の議事録に掲げる場合に何か問題が出てきはしないかという気がする。ことに議事録に載せると、議事録は閲覧できるから、各商店に対してどれだけの取引があったかというようなことを公示することになるわけだ。総会で誰にいくら新株引受権を与えるかということまできめなければならぬことにするのは無理だという考えから、その点を総会の決議事項からはずしたのだが、その趣旨を貫いていくと、取締役会の決議でもそれを絶対に要求するのはやはり無理であって、さっき言ったようなところでよくはないか。

大隅　要するに、ここでは新株引受権を与える者を特定するか、または特定しうべき仕方で定めなければいけないということだろう。

石井　今の場合、議事録を見てわからないじゃないかと言えば、それはこれですと言えば済むのだからね。

(6)　総会決議のない場合

鈴木　改正法ではこのように、株主以外の者に新株引受権を与えるには総会の決議を経なければならない、ということになったわけであるが、この決議を全然経ないで第三者に新株引受権を与えたような場合、あるいはまたその決議が後になって取消され、あるいは無効だということになった場合には、第三者に対する新株引受権の付与というものは一体いかなる効力を持つか。この点がむずかしい問題じゃないかと思う。発行差止めの対象には当然になると思うが（商二八〇条ノ一〇）、新株が発行されてしまった場合に、発行無効になるかどうかという点、これをどう考えたらいいだろうか。

大隅　その場合には、新株の発行は無効ではなくして、発行価額が不公正なときは不公正発行の問題となり、同時に取締役の責任問題で処理さるべきではないかと思う。

鈴木　そうだとすると、取締役と株主とが通謀した場合には、その株主の塡補責任という問題も出てくる（商二八〇条ノ一一）。通謀がなくても、取締役は損害賠償責任を負担する。しかし発行無効にはならない。私も大体その考え方が合理的だと思う。

西原　そうだろうか。私は無効と考えていた。

大隅　それは新株発行全部の無効か、第三者に割当てた部分のみの無効か。

西原　その部分だけの……。

鈴木　そうだとすると取引の安全を非常に害すると思う。

西原　ええ。しかしいつも譲渡されるものとは限らないし、法の厳しい制限に反して割当てられた第三者がそのまま株主権を持ち続けるというのも不合理ではなかろうか、総会の決議は内部的のものだといっても、現存株主全体の利害や支配の問題にとって非常に重要な関係のあるものだから、やはり効力問題に絡ませていいのじゃないか。

石井　かつて社債発行のために特別決議が要った時代に、決議がなければ社債発行は無効だという説があった。それから見ると、無効説は相当強く出うると思う。しかし、私は取引の安全ということから、発行価額の点の救済とか、差し止めでいいのじゃないかと考えたい。

鈴木　ことにあとで決議が取消されたような場合には、その影響は非常に大きい。すでに流通過程に置かれた新株の効力が初めからひっくり返ってしまうことになると、非常に困る。もちろんいわゆる超過発行の場合にだって、そのような問題が起るには違いないけれども。

西原　私はそれを言いたかった。

鈴木　利害得失の比較考量の問題として考えると、かりに超過発行があっても、それによってどんな損害が生ずるか、はっきりしないけれども、いま問題の場合には明確に損害があるから、損害賠償で片づけたらどうだろうという感じがする。

西原　賠償の問題だけでも片づかない。超過発行の場合の関係と、旧法時代の社債の発行に必要な総会決議のない場合の解釈との関係から、このような違反をやってなおその有効性を認めなければならぬか問題だ。取引の安全はそこまで優先するかどうか、若干疑問がある。

石井　しかし、旧法時代の社債発行決議の場合とちょっと違う。旧法時代の社債発行決議のときは株主総会が、いわば決定主体となって決議する。新法ではやはり新株の発行や引受権の授与そのものは取締役会がきめるので（商二八〇条ノ二）、第三者にやるときも取締役会がきめる。きめるに当って株主総会の決議による授権がいる。何か内部的な手続の慎重化というのが少し強くなったような感じもする。

西原　その発行すること自体は取締役に授権されているが、特定の第三者の方だけは非常に厳重にやっている。そして特別決議という点では変りないから、やはり疑問がある。

鈴木　疑問はもちろんあると思うが、例えば石井君の言われた旧法時代の社債についても、僕は発行決議のない場合にこれを無効と考えるのは妥当ではないと考えていた。

西原　そのような有効説もあった。

鈴木　新法のもとでも、たとえば定款でもって社債発行を総会の特別決議事項にすることもありうるが、その場合にも決議を欠いた場合にその発行が無効になるのでは困ると思う。

大隅　ことに一部無効ということになると、その株式が流通した後に無効判決が確定した場合、その処置に非常な困難を生じはしないか。

西原　しかし、株券にその特定の第三者の氏名が載っているし、番号もわかってるから、超過発行の場合と同じことではないか。

鈴木　しかし、株式を取得した者には、その株式が第三者の引受権の対象であったかどうかはわからない。一々番号を調べて、一々会社で当ってみなければならないことになったら、大へんなことが起ると思う。総会の決議が要求されている点を重視する立場からいけば、西原さんのようにならざるをえないかも知れないが、それでは取引の安全が害されるから、やはり比較考量の見地からそう考えない方がよいのではないか。

大森　取締役会の新株発行決議そのものを欠く場合でも新株発行無効の原因にならぬ、という説が少くない。私はこの説には賛成しないが、いま問題になっている総会の決議は、手続こそ厳重だが、性質上はやはり取締役会の行為に対する承認といういわば副次的意味をもつものにすぎないと考える。だから、これを欠く場合に新株発行の無効を生ずると解するのは、取引安全の保護の必要などと考え合せて、どうも行きすぎではないかと思う。

大隅　ところで、一つ伺いたいのは、先ほどの新株引受権を与えることを必要とする理由を開示しなかったときは、決議取消の訴の問題になるのだろうね。

鈴木　それはそうだろう。

大隅 虚偽の理由が開示されたような場合はどうだろう。

鈴木 それも決議取消の問題になるだろう。

石井 だが、取消してみてもしょうがないということになる。

鈴木 損害賠償の問題になるだけだ。発行差止めを、取消の訴えを起しただけでやることはできないとも思われるが、しかも、取消の判決まで待ったのでは、間に合わない。

大隅 しかし、西原さんの説でいくと、決議が取消されたらまた一部無効の問題を生ずる。

鈴木 そうなると思う。

(7) 第三者の新株引受権に関する従来の定款規定の効力

鈴木 第三者の新株引受権についても普通は従来の定款に規定があったわけなので、それが新法施行後にどうなるかということが問題になる。この点は附則の第五項に規定があって、株主以外の者の新株引受権に関する従来の定款の規定は新法施行後は効力を有しないことになるということが明言されている。従って、取締役会において第三者に新株引受権を与えることができる、というような定款の規定が効力を失うということはしごく明瞭であるが、ただ問題は、先ほどもちょっと問題になったように、あらゆる定款の規定というものがすべて効力を失ってしまうものなのか、それとも、その第三者に引受権を与えうる枠を定めたものであれば依然として効力をもつものなのか。言いかえれば、新法第二八〇条の二の第二項の「定款に之に関する定あるときと雖も」というのを先ほど言ったような形で問題にしていくと、第三者の新株引受権に関する規定というものがすべて無効になるわけではなく、引受権附与のための要件を法の立前より厳格にするような規定は依然として効力があるのではないか、ということが疑問になる。つまり、第二八〇条の二の第二項に「之に関する」と広く書いてあっても、それを狭く解釈するのが妥当だとすれば、この附則の第五項に言う「効力を有しない」というのもその意味において限定的に解すべきではないか、ということが問題になってくる。

大隅　さきほどの鈴木君の考え方によると、「株主は新株引受権を有する。但し取締役会の決議をもって役員及び従業員に新株引受権を与えることができる」という定款の規定があった場合には、新法施行後は取締役会の決議だけでは駄目で、総会の決議を経なければならないことにはなるが、しかし役員・従業員に限り新株引受権を与えることができるという意味では、なおその規定が拘束力をもつということになるわけだね。

鈴木　必らずしもそうとも思わぬが、そういうことが問題になりうる。

大隅　そうなると、単に附則第五項の文言に反するのみではない。従来多くの会社が役員・従業員などに新株引受権を与えることができるとしているのは、旧法の規定が第三者の特定を要求しているため、真意はもっと広く第三者に与えたくても、それが困難だからそうしているというのが多くは現実だろう。だから、必らずしも会社の意思にも副わないのではなかろうか。むしろ私は、第三者の引受権に関する定款の規定全体が拘束力を失うというように、第五項の規定を文字通りに解する方が実際的だろうと思う。それで不都合ならば、定款変更をすればよい。

鈴木　つまり第四項では、株主の新株引受権について、従来から定款で引受権を与えていたら、新法施行後も定款変更のチャンスは与えるが定款変更をしない限り一応その効力を認める。しかし第五項では、第三者の引受権に関する定款の定めは、定款変更をしないでも、当然全部効力を失わしめる。従ってもし依然として役員・従業員にだけ与えることにしたいならばそのような規定をあらためて定款に入れるべきであって、入れない限りは従来の規定は効力を失う。そういうのが第五項の規定だ、という解釈になるわけだね。やはりそう考える方が妥当だろう。

石井　結局第三者の新株引受権に関する定款の規定は全部無効ということになり、おそらく第三者の引受権に関する規定が定款に置かれる場合は今後は非常に減るだろうということも推測できる。そして問題がはっきりしてくるという気がする。先ほど株主総会の決議と定款の関係が非常に問題になったけれども、実際は定款で書く場合が減ってきて、あまり実際のトラブルは起らないと思う。

鈴木　ただ、そうだとしても、さっき問題にした、「当会社の株主は新株引受権をもつ。但し取締役会の決議でもって一部の役員、従業員に引受権を与えることができる」というような定款の規定があったときに、それは新法施行後にはどういうことになるかという問題は依然として残る。但書が全部無効になってしまって、その結果本文だけが絶対的なものになるのか。それとも、但書はそれ自体としては無効になるが、本文を制限するものとしては依然意味をもつ、すなわち、株主の引受権は一部については依然奪われる可能性を有する、しかしその一部につき第三者に引受権を与えるには、但書の規定が無効なので、新法の規定によらなければならない、ということになるのか。そのどちらかという問題がある。

大隅　西原説のような全部無効説もあったけれども、私は本文は生き残ると思う。従って、その状態のもとで新株発行をしようと思えば、その新株はすべて株主に割当てなければならない。もしその不便を避けようとすれば、会社は定款変更をするほかない、ということになる。

石井　私もすでに述べたようにそういう説だ。

大隅　それから、さきほど話の出たことではあるが、「取締役会の決議をもって公募し、または第三者に新株引受権を与えることができる」とある場合には、公募の部分だけは依然として効力を保持する。

石井　最後に定款の規定が今いったように第三者の引受権に関する限り当然に無効になったら勝手に消していいかどうかということが問題になる。前に、株式譲渡を制限する定款の規定の失効について同じよな問題があったが。

大隅　この場合、附則第五項によって、特定の第三者に新株引受権を与える定款の規定は改正法施行後は効力を有しない、ということになっているから、当然その部分に関する定款の規定は無効になる。こういう場合には、別に株主総会の定款変更決議によってこれを削除しなくとも、代表取締役が取締役会の決議——これもいらないかもしれないが——をもって削除するということで差しつかえないだろう。

大森　法律の規定で当然に無効にされるのだから、あとは形式的に定款の中のその文句を消すという事務的な問題だけということだろう。

大隅　例えば、従来でも新株引受権に関する定款の規定は、所定の発行予定株式総数について全部株式を発行してしまえば、規定の対象がなくなって当然無効になる。従って、これは株主総会の決議がなくても削除できる。大体それと同じ問題ではないかと思う。

鈴木　諸兄のように、第三者の新株引受権に関する規定が全然無意味なものになると考えれば、それを削除することは純形式的な問題にすぎないから、株主総会の決議がなくても第三者の引受権に関する規定は削除できると云ってよい。しかし西原説のように、但書の第三者の引受権の規定が無効になると、本文の株主の引受権の規定も無効になると考えるならば、引受権に関する規定全体が無効になり、従って今の議論をおして行くと、その全体が総会の決議をまたず当然削除されうることになりはしまいか。さらに私が問題にしたように、第三者の引受権に関する規定が本文の株主の引受権に対してこれを制限するような意味を持ちうると考えるならば、第三者の引受権の規定が常に全然無意味な規定になると認めて、だから当然削除できるといい切ることに疑問がある。そのように考えると、この問題も結局従来の定款の規定が新法施行後どのような効力を持つかということと関連がある問題であって、そう単純に断定できない。従って、総会の決議を経ないで削除してしまわず、やはり定款変更の手続をとる方が少くとも実際問題としては安全だといえるのではないか。

石井　それは、そのほうがいいと思う。さきに述べたように、公募が示されていないような場合には、第三者にやれないことになって全部株主に行くのかという点も問題になるから、この機会に定款を改正する必要もあるし、そのほうが安全である。

大隅　私が言ったのも、ある定款の規定の無効であることがはっきりしている場合には、その規定を削除するには株主総会の決議はいらないという意味である。定款の規定の無効自体に疑問がある以上、定款変更の手続をとるべきであることには異論はない。

四　新株引受権の割当期日

(1)　改正法の趣旨

鈴木　新株発行の際、定款に株主が新株引受権を有する旨の規定があれば、その規定によって株主に新株引受権が当然与えられるが、そのような規定がないときにも、取締役会の決議によって株主に新株引受権が与えられることが多い。そして、そのように株主に新株引受権が与えられる場合には、取締役会が新株発行の決議をするとき、その決議において、その決議から幾日か経過した将来の日を、新株引受権を与えられるべき株主を定める基準になる日、すなわち「割当期日」として定め、そしてその割当期日を公告して、その割当期日から株主名簿の閉鎖をするのがこれまでも普通のやり方であった。しかし、いままでの法律にはそのような公告や閉鎖をしなければならないという要請が定められていたわけではないから、例えば小さな会社で株主名簿の閉鎖をしないでもすむような場合には、突如として取締役会で新株発行の決議をして、その日の株主に新株を割当てるようなことも、法律上はできないことはなかった。しかしそのようなやり方をすると、まだ名義の書換をすませていない株主は名義書換の機会を失って、非常な不利益をこうむるようなことが起りうるので、割当期日を事前に株主に知らせることを要する、という制度にする必要がある。

改正法はそのような関係から、要綱の第六にもとづいて、第二八〇条の四の第二項で、取締役会の決議をもって割当の日を定め、それをその日の二週間前に公告しなければならぬ、ということにしたわけである。従って、普通の形から言えば、割当期日に名簿の閉鎖が始まるので、第二二四条の二の規定によって、その閉鎖の二週間前に閉鎖の公告が行われるから、それと一緒に割当期日の公告がなされることになるが、たとえ閉鎖をしないでも、少くとも割当期日の公告は二週間前になされなければならないことになるのであって、この点は先ほど言った通りである。

ところで、その割当期日が株主名簿の閉鎖期間中の日であるようなこともあり得ないわけではないが、その場合には、二週間前に公告がなされても名簿の閉鎖中だから名義の書換を請求するわけにはゆかない。しかし、それでは二週間前に公告させても何もならないから、もし割当期日が閉鎖期間中の日であれば、閉鎖期間の初日の二週間前、つまり閉鎖が始まる二週間前に公告しなければならない、こういうことを定めたのが第二八〇条の四の第二項である。

(2)　基準日と割当日との関係

鈴木　そこでこれについていろいろな問題が絡んでくるわけだが、第一に、この「一定の日を定め、その日において株主名簿に記載してある株主が新株引受の権利を有すべき旨を云々」といっている場合の、この「一定の日」、すなわちいわゆる「割当期日」というのは、第二二四条の二にいわゆる「基準日」というものに当るのか、当らないのかという理論的な問題がある。

大隅　私は、従来慣行として行われている割当期日なるものは、第二二四条の二にいわゆる基準日ではなく、それはむしろ新株発行に関する取締役会の決議のうち、新株引受権を有する者の確定に関する部分について附された一つの条件といったものとしてのみ考えていた。そしていまでも、第二二四条の二にいわゆる基準日は、かようないわゆる割当期日のごときものを予想しないで、規定されているように考える。しかし、第二二四条の二の規定の文言からいうと、会社が「一定の日において株主名簿に記載ある株主若しくは質権者をもつて、その権利を行使すべき株主若くは質権者とみなす」場合におけるその一定の日が基準日であり、割当期日はあたかもこのような一定の日なのであるから、割当期日も第二二四条の二にいわゆる基準日に当ると解するのがむしろ合理的なようにもおもわれ、解決に苦しんでいる。強いていえば、割当期日も第二二四条の二にいわゆる基準日に属すると解してよくはないか、とおもっている。

西原　割当日基準日説の有力な反対論者だと考えていた大隅君がそう解釈されるのだと、問題は大分解消される。

大森　私は、第二二四条の二のいわゆる基準日と新株発行の場合のいわゆる割当期日というのとは、少し違うと思っていたし、また今でもそう思っている。少くとも昭和二十五年の改正法が基準日制度を認めたときに、そこで予想されている基準日というものは、このいわゆる割当期日というものはちがったものだと思う。すなわち、株主資格の有無が問題になるようなある行為ないし手続が将来において行われることがある場合、特別のことがなければそれが行われる当日の名簿上の株主として取扱わねばならぬが、それでは会社側で予めいろいろの準備手続などを進めるのに困るから、その行為の日より以前のある日を定め、そういう事前のある日の名簿上の株主を株主としていろいろな処理をすればよい、その後行為の当日までに株主の異動があってもそれは無視してよい、そういうことにするのが基準日の制度だと思う。ところが新株発行の場合の割当期日というのはこれと同じではない。将来新株発行決議が行われることを予想して、あらかじめ一定の日を定めておいて、後に発行決議があればその一定の日の株主が引受権をもつというのであれば、それは正に基準日だが、いわゆる割当期日というのはそういう意味で予め定められる一定の日ではない。新株発行決議で株主に新株引受権を与えることをきめるとすれば、原則としてその日の名簿上の株主が引受権を与えられるわけだが、それでは名義書換をしていない株主にとって不測の不利益を与えるから、決議の日その日の名簿上の株主でなく、それよりある期間をおいた後の一定の日の名簿上の株主が引受権をもつ、ということにしよう。そういう内容の決議をするのが従来からの通例で、その場合の一定の日がいわゆる割当期日なのだ。その意味で、割当期日の定めということは、新株発行決議の内容のうち新株引受権者の決定についての一つの条件ともいうべきものにすぎないと思う。そしてこういう日を設けるか否か、又設けるとしてその日を事前に公告しなければならぬかどうか、という点について従来は格別の規定がなかった。それは第二二四条の二の基準日でないから、これに関する規定の適用を受けず、この点は会社が株主の利益を考慮して適宜善処するであろうところに任せていたが、今度の改正では、やはり割当期日という問題についても株主の利益保護のために一定の規範を設けるのが適当だということで、第二八〇条の四の二項ができたのだと思う。一定の日における名簿上の株主を株主として遇すれば足るということが会社側にとっても便宜だという点、また一定の日を予め株主に知らせておくことが株主の利益保護のため必要だ、という点では基準日制度と割当期日制度との間にある共通なものがみとめられる。その意味で、改正法の認めた割当期日というのは、いわば従前の基準日に準ずるものだ、といってよいかも知れない。しかしこの割当期日の制度は、少くとも二十五年の改正で予想された基準日制度と概念的に同じもので前者は後者の一つに属する、とは言えないと思う。

従来、「割当期日を基準日の一種だとすれば、定款に規定がない限り割当期日を設けることができぬという制限にひっかかって実際上困るから、割当期日は基準日に属しない、という説明をして来ただけだ」という議論もあるが、そういう実際的な考慮からだけでなしに、やはり両者は理論的に別のものだと言うべきでないかと考えている。

石井　大分論じられているから、深入りしないが、私も割当日については、従来これを基準日とはみないで大森君のように考えている。

大隅　いまいったとおり私も、割当期日を定めることが、新株発行決議の内容の一部に条件をつけることだということを否定するわけではない。無条件の決議があるならば、当然その決議当日の登録株主が新株引受権をもつことになるのであるが、決議内容の一部に条件ないし期限をつけて、決議の時から一定期間経過した日の株主に新株引受権を有せしめるものが、割当期日の定めであるにちがいない。そうであるとしても、その割当期日が第二二四条の二にいわゆる基準日に当るかどうかはなお問題になりうるとおもう。第二二四条の二の規定は、基準日について定めるに当り、割当期日のことは予想していなかったように見えるが、しかしその規定内容からいうと、これをとくに配当を受くべき株主あるいは議決権を有する株主を定める場合の基準日と区別しなければならない理論的及び実際的理由はあまりないような気がする。ただ、株主名簿の閉鎖と併せて考えると、割当期日と基準日を区別する考え方もわからなくはないので、結論に苦しむわけだ。

鈴木　第二二四条の二の基準日というものの意味については、こういう考え方が成り立たないだろうか。株主名簿の閉鎖というのは、具体的に誰が株主として権利を有するかをきめる必要がある場合に、特定の日からずっと名義書換を受付けないでおくことによって、結局その過去の時点における株主が、株主として権利を有することになる制度である。これに対して、基準日というのは、名義書換の請求は引つづき受付けるが、その事項については、そのような名義書換はこれを無視して、やはり過去の時点における株主を、株主として権利を有する者と認めるという制度であって、たとえば、利益配当を受ける株主は、配当決議の日の株主ではなく、決算期、すなわち決議の日よりも遡った過去の日における株主に利益配当が与えられるのである。ところが、この新株発行決議の場合には、過去に遡った日の株主に新株が割当てられるのではなく、決議の日より将来の日の株主に与えられるということであって、この場合には名義書換を無視しなければならぬような問題は全然生じないのであるから、その点からみて割当期日は基準日にあたらないのではないか。大森君の説も結局そういう意味ではないかと思うが、私は基準日と割当期日の間にはそういう区別がつけられるような気がする。だから、「定款に基準日のことが定めてない場合に割当期日をきめることができないことになっては困るから、割当期日は基準日ではないと解釈せざるを得ない」というような便宜的な理由だけではなく、両者を区別することには理論的にも今言ったような根拠があると考える方が妥当なのではないか。

大隅　基準日というものはもちろん株主名簿の閉鎖と並行した制度だともいえるけれども、そういう過去の一定の日における株主をして権利を行使させる場合だけが基準日であって、将来の一定の日における株主をして権利を行使させる場合は基準日でないというように、必ずしも基準日なるものを限定して解しなくてもよいではないか、という気がする。

鈴木　基準日の制度を株主名簿の閉鎖とパラレルに考えていけば、当然今言ったような形になるのではないか。

大森　二十五年の改正で基準日制度を認めたのは、今の鈴木さんのお話のように、従来は名簿の閉鎖一点ばりできておったのを、閉鎖まではしないでおいてしかも同じような効果をあげよう、ということで基準日の制度が認められたものと思う。その点からいえば、さきほどいったように、やはり基準日と割当期日とは本来は別のものということになりはしないかと思う。一定期間前に予告しなければならぬという点では両者に共通するものがあるが、もともと基準日の制度はどちらかと言えば、会社側の都合ないし便宜のためこういう措置をとりうる、という制度だが、割当期日の制度はどちらかと言えば、株主の利益のためにこういう措置をとらなければならない、とする制度で両者の趣旨が全く同一だとは言えないのではないか。

鈴木　大隅君のように考えれば、第二八〇条の四の第二項の規定は第二二四条の二の特別規定になるわけだが、大森君や私の考えによれば、割当期日の問題は二二四条の二ではカバーできない。しかし実質的にはまさに大森君が言われたような趣旨で、つまり割当期日も株主の利益からいえば基準日と同様の意味をもっているということで、改正法はこれにも法の規定を拡げてきた、ということになる。

西原　私は今の大隅君のあとの説に賛成だ。一定の日が将来の日か過去の日かということは問題でなく、基準日も名簿閉鎖もその一つの目的は共通している。すなわち株主を一定の日のそれに確定するということだ。名簿の閉鎖には同時に会社事務処理の便宜という余分な効果がついているが、基準日の方はそれがないというだけのことであって、この二つには共通点がある。それ以上に準基準日というようなことを考える必要はないので、要するにいつの株主を株主として取扱うかということだけが焦点だと思う。それ以外の副次的なことは問題にしなくていいのではないか。

鈴木　そうだと、この第二八〇条の四の二項の規定は必ずしもいらないということになるか。

大隅　いや、必ずしもそうとはいえない。この規定は予告制度を定めているところに意味がある。つまり、会社が株主に引受権をみとめて新株を発行する場合には、株式を取得しながらいまだ名義の書換をしていない株主に対して名義書換の機会を与えるために、割当日を新株発行決議の日以後に置いて、少くとも二週間前にそれを予告することを要求しているところに、改正法の規定の真の意味があるものと思う。

鈴木　しかし、割当日をきめるということがすなわち基準日をきめることであるというのであれば、第二二四条の二によって基準日の前には必らず公告がされなければならないのだから、第二八〇条の四の第二項の規定は、少くとも二週間前に公告を要求している点では当然なことであり、その限りでは重複規定ではないかという感じがする。

大隅　しかし、もしもこの規定がないとすれば、決議当日の株主が新株引受権をもつことにしても差支えないわけだが、そうさせないで、決議の日よりもあとの日を割当日と定め、しかもそれが株主名簿の閉鎖期間中であるならば、閉鎖期間の初日の二週間前に公告させる。要するに、株主に対し少くとも二週間の名義書換期間を与えるために、常に割当日を設けさせ、その公告をした上で新株の発行をなさしめようとしているところに、特別の意味があると思う。

鈴木　つまり決議の日を割当の日としてはいけない、株主に名義書換の余裕を二週間与えるように、それより将来の日を割当期日にしなければならないというところに、この規定の意味がある、ということだね。

大隅　そう思う。

大森　大隅さんの考えでは、新株発行の場合には必らず基準日を定めよ、その点に第二八〇条の四の第二項の規定の意味があるというわけだろう。それ以上の問題、つまり基準日を定めたら二週間以上前に公告しなければならぬということは、むしろ第二二四条の二の規定からひとりでに出てくる結果ということになり、第二八〇条の四の第二項で二週間前に公告しなければならぬと定めているのは、極端に云えば不必要な規定ということになる？

鈴木　大隅君の考えでは、第二八〇条の四の第二項は、ただ新株発行に際しては必らず基準日を設けなければならない、それを強行法的に要求した、というだけの意味になるか。

大隅　それと同時に補充的には、公告の日と割当日との間に少くとも株主名簿の閉鎖されない二週間の期間をおかねばならぬ、という点に意味がある。

鈴木　その点は、君の考えからいえば、割当期日のみの特別規定とすべきことではなく、閉鎖期間中の日を第二二四条の二の基準日として定める場合にも、常に同じことが要求されるべきだということにならないか。むしろ、この規定ができたことによって、第二二四条の二の基準日についても、同様に解しなければならぬことになったという方が筋が通るように思うが。

西原　私はそう思っている。

大隅　そこのところを補充的に明確にしている意味がある。

西原　そういった注意規定としては意味があるが、実質的には重複規定だと思う。

大隅　とにかく、最初にいったとおり私自身いささか結論に苦しんでいるが、割当日が第二二四条の二の基準日に当るという立場からは、いまいったように考えられるとおもう。

西原　新株引受権を与えられても、引受権を行使するかどうかということは引受権者の自由だから、それを行使する期間の前に予告しておかなければならぬという第二二四条の二の趣意は、割当日という問題についても守らるべきであった。かりに立法の不備でそれをやらなかったとしても。だから私は割当日の制度というものも、本質的には基準日の制度として考えるべきだと思う。

鈴木　この点は見解がわかれたということで、先きに進むことにしよう。

(3)　名簿閉鎖期間と割当期日の指定

鈴木　つぎに問題が一つある。それは、第二八〇条の四の第二項の後段により、割当日が株主名簿の閉鎖の期間中である場合には、期間の初日の二週間前に公告することが必要とされているが、閉鎖期間が過ぎてから、例えば二日とか三日とかあとの日を割当期日に定めた場合には、この規定だけから見れば、別に閉鎖期間の初日の二週間前に公告をする必要はなく、その割当期日の二週間前に公告をすれば足りる、ということになる。もしそうだとすると、実際に名義書換を請求することができる日は二週間なくって、僅か一日か二日しかないというようなこともありうることになるが、それでいいだろうかという問題がある。私自身の考え方としては、それはそれでいいのではないかと思う。つまり二週間前に予告することを要する、というのは、二週間の間継続して書換えうることが必要だ、という意味よりは、とにかく二日でも三日でも書換のチャンスさえ与えられていれば、書換をして権利を保全するチャンスが与えられるわけだから、その準備期間として二週間の余裕が与えられていればそれでよいということで、必らずしも書換をなしうる日が二週間なくてもいいのではなかろうか。そういうふうに思うが、どうだろう。

西原　それは疑問だと思う。その二週間というのは、やはりその間に株主の方で自由に書換ができる期間が二週間という意味ではなかろうか。距離の関係とかその他の点で、二週間内ならいつの日でも株主が自由に選べるということが大切であり、また会社の事務の上からいっても、ごく短い期間に書換請求が殺倒したのでは困るから、二週間というのは継続して必要だと解する方が立法の趣意に沿うと思う。

鈴木　それと似たことは、いままでも例えば株主名簿の定時閉鎖中に株式の無償交付を行う方針をきめたようなときに、しばしば問題になった。つまり、名簿の閉鎖期間中に株式の無償交付の問題が起ってきたときには、名簿の閉鎖期間が終ると二三日名簿を開き、それからまた名簿を閉鎖して無償交付の特別決議を行う総会を開き、そのときの株主に新株を与える、というやり方が一般に行われていた。そういう慣行は、西原説によると違法ということになると思うが、会社の方から言えばその場合に書換請求が殺倒して来ては困るので、閉鎖期間中であってもあらかじめ株券を預かって書換請求を受付け、期間が過ぎて名簿が再開されるとその書換をするという形をとってその点を処理するとともに、株主にも不便を与えないというやり方をしていた。だからそういう場合には、会社にあらかじめ書換請求を受け付ける義務があるという形まで持っていくことも一つの考え方だが、そうまでしないでも、受け付けるということは会社の方で一ぺんに殺倒されては困るからやるだけのことで、法律が受付義務を認めないでも多数の株主があるような会社では当然に受付けるだろう。従って受付ける義務ありとまでしないでも、ただ実際上受付けるということでいいのではないか、という考え方もありうると思う。このような問題が絡んでくるのではないかと思う。

西原　そこまで慣行でやっているなら、やはりそれを法律で正面から取上げる方が正当な筋道ではなかろうか。

石井　規定の文字を中心にして読むと鈴木さんの考え方のように読めるわけだが、そうでなく、西原さんの云われるような趣旨だとも解釈しうる。しかし西原さんのように考えるのは規定の趣旨を書換のチャンスを二週間与えようとしているものと解されるわけで、規定の文字からは若干離れてくる。また法文の「期間中なるときは」というのは、形式的に読めば「割当日が閉鎖期間中でなければ必らずしも閉鎖期間の初日の二週間前に公告する必要なし」ということであるが、単に二日でも三日でも書換のチャンスがあればよいということであれば、割当日が閉鎖期間中のときでも割当日の二週間前から公告し、その時から閉鎖の初日までの間に二、三日あれば充分だということも実質的にはいえるわけで、何も、割当日が閉鎖期間中のときは常に閉鎖期間の初日の二週間前に公告しろという必要はないという反論も出てきうる。ということで、規定の趣旨が一貫していないことになる。

鈴木　私のように、二週間継続して閉いている必要はないと考えても、書換の機会は与えねばならない。その上、二週間前に公告するのは、その準備をさせるために必要だというのだから、必らずしも無茶のことを考えているわけではない。

大隅　私も、この規定を読んだときに、少くとも二週間の名義書換の余裕を与えようということであろうと思った。名簿の閉鎖期間をまん中に挟んで、前後合わせて二週間でもかまわないけれども、とにかく少くとも二週間の名義書換期間を与えて公告させようというのが、立法の趣旨のように見える。規定の形式だけからいえば尤もなようではあるが、実はいま鈴木君の説を伺って、そういう解釈もあるかと意外な感じがした。

西原　鈴木君のような立場だと、普通の名簿閉鎖でもやはりそういうことは言えないか。

鈴木　二週間前に書換のため行動を起し得るチャンスは与えなければならない。普通の名簿閉鎖の場合にも、二週間前——今までは三〇日前だった——に公告がなされても、書換請求はぎりぎりになってから殺倒することが多い。株主総会の招集の場合だって、二週間前に知らせるということは、権利を行使するのは総会の日だけれども、それを二週間前に知らせることによって行動を起し得る準備をするチャンスを与えるということなのだから、この場合にもそれと同じように考えていいのではないかという気がする。

西原　総会の通知の場合は、株主はその総会当日に行けばいいのだが、名義書換は特定の日だけでなく必要に応じてやるのだから、そしてその間に株式について取引もなされうるのだから、若干性質が違うのではないか。

鈴木　しかし、名簿を再開してからその次の閉鎖まで、最少限度一日は置かれなければならない。さもなければ六十日を超えてしまうから、少くとも一日はあけなければならない。かりに一日しかないとすれば、リーズナブルな会社はどうしても預託をやるだろうと思う。あるいは、預託義務があるといってもいいかもしれない。

石井　二週間が書換のための準備期間であるということから鈴木さんのように言うとすれば、会社に預託義務があるとしなければいけないだろう。

大隅　会社に預託義務があるというところまでいくくらいならば、むしろ西原さんのいわれるように考えるべきではないだろうか。

鈴木　私も私が言ったようなやり方を別に奨励しているわけではないが、会社の方にも急に新株発行の必要が生じ、その時期を急がなければならぬ場合がありうる。そしてそのような場合にはこういう措置もできるということなのであって、そのようなときにもどうしてもそれでは駄目だとする必要はないのではないか。二週間の予告制度の趣旨を私のように考えれば、理論的に成り立たないわけではないし、実際的にもその方が便利ではないか。

西原　会社には便利だけれども、株主にはあまり便利でないような気がする。

大隅　それと同時に、鈴木君の説でいくと、かなり濫用のおそれがありはしないか。一日だけ名簿を開いてもやはり開いたんだということになって……。

鈴木　その点を心配されるならば、石井君が指摘したところに従って、会社に受付義務というか、そういうようなものを認めたら弊害を防ぎうるのじゃないか。もっとも、そういうことについて条文上の根拠があるかと言われるだろうが。

西原　まさにそう言いたいところだ。

石井　結局、その点は、今度の改正法がそのような割当日をきめることを認めたということのうちに、当然にその合理的な要請として会社に預託義務があるということを予定しているというふうに解釈されうるかということではないか。

大隅　名簿の閉鎖期間が満了した後一週間たった日が割当日であるとすれば、その閉鎖期間の初日の一週間前に公告しなければいけないというのが、この規定の趣旨だろうと私は思っていた。

鈴木　それだと、大して意味がない。かりに二カ月の閉鎖期間が置かれているようなときには、その二カ月の間に急を要する問題が出ることもある。そのようなときに非常に困るだろうと思う。

大隅　それはわかるが、そういうことを考慮に入れているのであれば、こういう形の条文が作らるべきではなかったとおもう。

鈴木　私のような考え方は、今の条文の解釈論としてどうしても無理か。

大隅　法文の字句から形式的に解釈すれば、鈴木君のいわれるようになるだろうが、この規定の背後にある精神といったものを考えると、やはり西原さんのような解釈になるのではないかな。

鈴木　この規定の要求しているように二週間の前に公告をしろということは、二週間の間引続いて名義書換の可能性を与えなければならないという趣旨に解しなければいけないか。そうではなく、書換の請求をするための準備をする期間として二週間を与えよ、という趣旨だ、というふうに考えればそれでいいじゃないか。

大隅　従来は三十日というように公告期間が長かったのを、改正法では二週間に短縮して、しかもこういう割当日の制度を法定したのだから、どうもその解釈は無理ではないか。

鈴木　従来はむしろ私の考え方で何も問題がなかったことなのだ。

石井　そこに従来と改正法のもとでとの間に違いがある。割当日というものを基準日と見れば大隅君のような議論になるが、割当日を特殊なものと考えれば、従来それについて何も制約がなかったのを新しく割当日をつかまえてそれを新たに規定し、この程度の制限を置いた、というふうに考えることができるわけで、その規定の趣旨をどう解するかという問題となる。だから、今の鈴木さんのような解釈も全然なり立ちえないかということは問題となりうると思う。

大森　どうも法文の文字だけの解釈からいえば、どちらかというと鈴木さんのような解釈になると思うが、規定の趣旨の方から言うと、やはりその解釈は無理のように思える。

石井　もちろん改正法が割当日制度を新たにみとめたとしても、そのつかまえ方が当然鈴木さんのような意味でつかまえたと言えるかどうか、この規定を読んで合理的に考えると問題があると思う。しかし、そうかといって西原さんたちがいわれるように、書換のチャンスが二週間なければならぬということを強調するのにも疑問があるし、法文の文字からも離れすぎる。更に割当日が閉鎖期間の後に来るような定め方をするときには、西原さんのようにいわれたのでは、この規定は大して意味がないことになる。

大隅　もし鈴木君の解釈をとるとすれば、単に会社に預託義務があるというばかりでなく、会社としては預託をするということを株主に対して公示する義務を負うとするのでなければならぬと思う。預託を申し出た者に対しては預託に応じなければならないというのでは、やはり名義書換をしていない株主の保護として十分でない。会社に預託義務を認めるならば、まず一般の株主に対して預託をするチャンスを与えるために、預託をなし得るということを知らしめる会社の義務が先行しなければならないのではないか。

西原　そこまでいけば株主の保護には実際上欠けるところはなくなるが……。

鈴木　そういうような公告をすれば、もちろん親切だとは思うが、もし期間経過直後に割当期日をきめたような場合には法律上当然に預託の義務があるという明文の規定がおかれているのならば、公告をしないでも当然そのような義務があるわけだし、それが株主にも判っている筈だ。だから、法律の解釈からもしそういう義務があるといいうるならば、その義務があることを公告しなかったからといって、そのために割当期日の定めを無効にすることはないと思うが。

西原　たとえばほんとうに書換が行われたのが一日か二日とする。しかも会社が預託するということもはっきりさせないので、株主は今会社へ株券を持ち込んだのでは預かってくれないかも知れないというので捨てておいたが、やがて忘れた、というような場合を考えると、やはり公告があればすぐに処置ができるという態勢にしておく方が、株主保護のためには必要ではないか。ことに改正法で割当日およびその公告の制度を設けた趣旨からいっても、その方が穏当ではないか。

鈴木　このような問題について明確な規定を置かなかったことは、立法として不親切だということは、承認するけれども……。

西原　公告期間は二週間というふうにかなり短かくしたわけだからね。書換期間が一日でもいいというのでちょっと納得しかねる。

大隅　鈴木君の言われることはよくわかるので、むしろそういう解釈ができれば認めたいという気もするが、どうもこの規定からそれを導くのはむずかしいとおもう。

鈴木　先ほどから規定の趣旨と言われるけれども、その趣旨をどう考えるかが問題なのだ。

大隅　もちろんそうだ。その趣旨というのは、従来のやり方に対してとくに新しくこういう制度を設けたその理由、この規定の全体としての表現、それらを綜合して考えられる法の狙いだ。

石井　結局その意味で、この規定を考えるとき、割当日が閉鎖期間中のときはその期間の初日の二週間前に公告することを要するという意味を、二週間は書換のチャンスを与える趣旨ときめてかかれば、西原さん達の立場になる。しかし、公告の時の株主が株を持ちつづける場合のみを考える必要もないので、間もなく新株の割当を受ける株式として特に有利に流通するということもあるわけで、割当日の直前に譲受けることもある。又書換の準備期間として二週間あることを要し、必ずしも二週間書換が出来る必要はない趣旨だとすれば、この規定は、さっき指摘したように矛盾を含んでいることとなる。だから、私としては、この規定の解釈としては二週間前の公告の趣旨を専ら書換のための準備期間とか、書換のチャンスを与えることのみと見ないで、「やがて割当を受けるということ」を知らせしめること自体であると考えればよいのではないかと思う。従って、そのような株式としての流通もあろうし或いは書換の用意もするであろうということであり、閉鎖期間中に割当日があるときは、閉鎖期間の初日の二週間前に公告しろといっていることと併せ考えると、割当日が閉鎖の初日の時も考えうるわけで結局、右の趣旨の上に更に書換のチャンスについては少くとも「二週間の最後の日は閉鎖期間内であってはならぬ」ということで、「この最後の日において書換のチャンスを与えねばならぬ」という趣旨だけが規定のうえに出ているものと考えうるのではないかと思う。従って閉鎖期間後一日置いて割当日を決定して、割当日から二週間前に公告しても法律違反にはならないということではないかと思う。結局結果においては鈴木さんの考え方と一致するともいえるが書換の準備期間とのみいうことから、預託義務を認めるというようなことを法律上の要請であるとまでいわないでも済むということになるわけだ。

(4)　割当期日の公告欠缺の効果

鈴木　つぎには、第二八〇条の四の第二項に定める公告をしなかった場合にどういう効果を生ずるか、という問題がある。

大隅　その前に、一体極く株主数の少い会社でも必らずこの公告をしなければならないか、という問題がある。つまり、株主数の少い同族的会社において株主名簿上の株主がまだ誰も株式を譲渡していないということがわかっている場合には、その株主全員の同意があれば、第二八〇条の四の第二項による割当日の設定および公告の手続はいらないだろうということだ。

鈴木　文句を言う者が誰もいないならば問題はない。
西原　今のは一般に名簿上の株主の同意があればよい、という議論なのか。
大隅　そうではない。実際上株主名簿上の株主に移動がない場合の問題だ。
西原　それは譲渡していたら証明が困難ではないか。
大隅　株主数の少い同族的な会社だったら、その点がかなりはっきりしている場合が少くない。
鈴木　実際に株式の移動が行われていれば、その譲受人になっている者から割当が無効だという主張ができる。しかし移動がなかったのならば、割当の無効を主張しうる者がいないということだから問題はない。それだけのことと思う。
西原　株主名簿上の株主だけを標準にしてはいけないわけだね。
大隅　もちろんそうだ。そうでなければ、公告制度は意味をなさなくなってしまう。
石井　法律論としては、名簿上の株主から株式が移動していない限り、公告がなかったことを理由として割当の無効を主張する利益がないということだろう。
西原　訴訟法上の問題になる。
鈴木　ところで、一般論としては、割当日の公告がなかったら、やはり新株引受権の附与は無効だということになるだろう。
西原　そうしないと徹底しない。
鈴木　ただ、その場合に新株発行差止はもちろんできるが、新株の発行が行われてしまった場合に、その新株発行の効力はどうかという問題がやはり残る。

石井　それは残る。公告をやらなければ新株発行無効の訴の原因になるかどうか……。

西原　やはり無効の原因になると考えなければならないのではないか。

大森　公告をしなかったため一般に株主に対する新株引受権の附与そのことが無効になるかどうか。もし仮りに無効になるとすれば、株主の引受権の存在を前提として行われた新株発行そのものの効力がどうなるかという問題が一つ。それから、公告をしなくても新株引受権の附与は有効だが、ただ公告がなかったがために割当期日において実質上株式を譲受けている者が名義書換をしていなくて、当日における名簿上の株主たる譲渡人に引受権が与えられ、その前提で新株発行手続が進められた場合に、譲受人が公告の欠缺により受けた不利益に対してどのような救済を求めうるかという問題が一つ。

大隅　公告がなければ、株式の譲受人は名義書換をして新株の割当をうける機会を奪われることになる。その場合に、これを会社及び譲渡人と譲受人との間の問題としてのみ処理するか、それ以上に進んで新株発行そのものの効力にまでも影響さすかということだ。

鈴木　新株の発行が行われた場合にはその株式を無効としないで、当事者間の関係の問題として処理した方がよいのではないか。

西原　さっきのお説から言うとそういうふうに想像される。しかし会社支配権の移動ということになると、濫用される危険もある。

鈴木　どうしても発行無効と考えなければならないだろうか。

西原　何でも無効にしないで救済するということになると、違反をしてでもやった方が結局利益だということになり、そうなるとかなり濫用の危険が多くなる。

鈴木　無効としてないでも、もちろん会社は損害賠償義務を負う。取締役も賠償義務を負う。それから当事者間の問題も生ずる。尤も、このような場合に当事者間の解決をどうつけるかは相当面倒な問題だが。

西原　損害賠償責任の問題にしても、損害額の証明ということになると、支配権の移動の場合には非常に困難だ。

大隅　支配権の移動ということとは別にして、財産的関係から見れば、譲受人から会社に対する損害賠償の請求という問題と、譲受人から譲渡人に対する求償という問題とを生ずる。それで処理したらいけないか。

鈴木　普通の失念株の考え方によると、株式は払込みをした名簿上の株主の株式になり、当事者間でプレミアム的なものを分けるようなことになる。この場合には会社が公告をしなかったのだから、それで不利益を受けたところは会社に対して損害賠償を求めうるという問題になる。そしてこの場合、取締役のみならず、会社自身に損害賠償義務があると思う。

西原　それに若干関係があると思うが、割当期日に割当がなされた場合、その新株引受権を与えられた者の権利の性質はどういうものだろうか。もし引受権の附与があっても、形式的には会社の方から申込証を送ってそれに対して応募するわけだ。もし申込証を会社が出さなかった場合に、その引受権の附与を受けた者が自分の権利を行使し得るのか。それとも、単に取締役に一般に認められている割当自由が拘束されたというだけのものとして考えるのか。

鈴木　新株引取権を与えるということは、一体どういうことなのだろうか。会社が新株引受権を有する者に申込証を送るのは、普通の募集の場合のようにいわば申込の誘引をしているのに過ぎないのだろうか。そうとすれば、やはり会社が割当をしたという場合にはじめて引受が成立することになる。しかし、この場合は単なる申込の誘引ではなく、株主からいわゆる申込があれば、それによって当然に引受が成立するのではないか。新株引受権者による申込の場合は、普通の申込証による形をとってはいるが、その点一般に公募する場合と違って考えなければならぬのではないかと思う。

西原　確かに違う。その場合について一つの考え方は、株主が申込証によって申込んだというのは、ほんとうは申込ではなくて、いわば承諾だとするもの。もう一つ徹底すると、割当期日に新株引受権を附与されたことによって株主は形成権を持ち、その形成権を行使するのがいわゆる申込だから、たとえ申込証がこなくても、申込証によらなくても、その形成権を行使できる。とするもの……。この点どう考えられるか。

大隅　私は従来、新株引受権が認められている場合には、会社が株主に対して株式申込証を送ることは、同時に申込を条件とする割当の意思表示を包含するものと解していた。

石井　私もそう考えているが、西原さんの問題としている点は形成権と解するか否かにかかわらず共通に問題になることではないか。

鈴木　西原さんがいま問題にしているのは、こういうことなのではないか。株主に新株引受権を与えることを取締役会で決議をした。ところが、株主Aには申込証を送っていないという場合には、一体Aはどういうことになるのか。そういう問題だろう。

西原　取締役会で決議がなされたとき、割当期日が来たら、当然に形成権があるものと考えるならば、こちらの方から形成権を行使すれば、それによって当然株主になる。

鈴木　仮りに形成権と考えても、その行使が要式行為であれば、申込証という方式をとらなければ、形成権の行使にならない。言いかえれば、申込証というものが絶対的に必要な方式かどうかが問題なわけだ。

西原　というのは、申込証という方式が絶対に必要だということになると、特定の株主を好まないときに、それを排除するために、申込証を送らないという危険がある。その場合にもやはり引受権附与によって具体化された以上は、自分の権利として行使できるとなると、その者が株主になるから、結果において大きな差が出てくる。

大隅　株式の申込は一応要式行為だけれども、会社の方で不当に新株引受権者に株式申込証を交付しなかった場合には、会社は所定の株式申込証によらない株式の申込についてもその効力を争いえない、と解すべきであって、それで解決できるのではないか。

石井　私もその場合はそう思う。会社側で株主が要式行為をなすために必要な手続をとらさないでいて、しかもそのときになお申込証によらないということを主張しうるかという問題で片づくのではないか。

西原　そうすると、かりに会社が申込証を別の者に送って、その者が申込んだような場合に、その者と申込証によらないで形成権を行使した者と、どちらが株主になるのか。

石井　形成権とみるか否かは別として、会社が特に株主に申込証を送らなかったような場合には、さっきの理論で片づくと思う。西原さんの云われるのは、公告しなかった場合に会社が名簿上の株主に申込証を送り、その者が申込をしたとき、真実の株主即ち譲受人からも申込があったような場合だと思う。このような場合、譲受人が権利を証明して申込をして来たようなときは、それが割当前なら会社は公告していないのであるから、会社としては閉鎖期間中でも一応書換を受理しておくとともに、その申込を認むべきではないかと思う。

大隅　あるいは会社が公告しないというのを、ちょうど不当に名義の書換を拒否した場合に準じて考え、真の株主の方から譲受の事実を立証して、会社に対し株式の申込をするならば、会社はそれを拒否できないというような考え方はできないか。

石井　公告をしないで株式申込証を名簿上の株主に送り、その者が申込んだが既に株式譲渡していた場合はどうする。譲受人が申込をしていないで。

大隅　譲渡人が株式引受人となるのではないか。しかし、その場合譲渡人が株式を引受ける前に、もし株式譲受人がその株式譲受の事実を立証して株主たることを主張してきたときは、会社はこれを株主として取扱い、その株式申込をみとめなければならぬということになる。

西原　そうすると、実質的には形成権に近いような見方になる。全面的にそこまでいくかという問題だ。

鈴木　会社から申込証のフォームを送っているにかかわらず、そのフォームを使わないで申込んできた場合にも、それでいいとは西原さんも言われないだろう。株式の申込に一定のフォームの申込証を使わせるということは、株主にいろいろな事情を知らせる必要があるからだ、とだけ考えると、申込人の方が「そんなことはわかっているから自分の作った申込証で申込をする」と言えばそれでよい、と言えるかもしれない。しかし一定のフォームの申込証によって申込をさせるということは、会社の方の処理の必要ということもあるわけだから、会社が申込証のフォームを送ったにもかかわらずそれを使わないで申込んでも、それは正式の申込証とは認められない、ということになるだろう。しかし、会社から申込証用紙を送らないというのであれば、これは別の問題になるというのが大隅君の考え方だろうと思う。だから引受権者の権利の性質が形成権だということとだけでは、問題は片づかないのではないか。

西原　いまお話の二つの場合を区別することは意味があるかもしれない。

石井　さっき鈴木さんが一寸ふれた点だが、公告をしないで会社が譲渡人に株主名簿によって割当をしてしまった場合にも、失念株の場合と同じように譲渡人への割当になるといえるかは、若干疑問の余地がある。むしろ、割当無効として新株発行無効になるというほうが筋が通るようにも思われる。或いは、このような場合には譲受人は公告がなく割当日を知らなかったということであるから、譲渡人の申込は事務管理的なものとして法律的には譲受人が割当をうけたものとして新株発行無効を救うか、なお考えてみたいと思う。

(5) 割当期日と申込期日払込期日との関係

石井 割当期日と払込期日との間にどのくらい期間を置くかという問題もある。

鈴木 割当期日は第二八〇条の四の第二項によってきまる。しかし申込の期日がそれから非常に後の日に定められるとか、或いは更に申込の期日から払込の期日までが非常に期間がおかれるとかいうような心配もないではないが、改正法はその点についても何も定めをしていない。或いは、申込期日もやはり一種の基準日であると考えて、その点から制約があるという見解があるかも知れないが、私自身は申込期日は基準日だとは思わない。申込期日については、法律は現在のところ別にしばっておらず、実際上の動きにまかしているが、もし申込期日まで又は払込期日までの期間があまり長いようなときは、それを考えて申込むかどうかを決定することになるだろう。だからその意味では、いくら長く決めることも会社が自由にできるというわけではない。もし濫用の弊害が多ければ法律でしばらなければならないことになろうが、割当期日をしばった以上、申込期日や払込期日も当然それとパラレルにしばらなければならぬということはないと思う。

石井　私もその点同感だ。

大隅　それから、わかり切ったことだけれども、割当日から株主名簿の閉鎖をするかどうか、またどの位の期間閉鎖するかということは、その期間が法定の二月を超えない限り、会社の自由ということだろうね。

鈴木　だから、割当期日から申込期日までずっと閉鎖しておく必要は全然ないと思う。

五　新株発行に関連するその他の問題

(1)　端株に対する処置

鈴木　第二八〇条の四によれば、株主が取締役会の決議で新株引受権を与えられた場合または定款の規定により当然新株引受権を有する場合には、各株主はその持株数に応じて新株の割当を受ける権利を有することになるが、このような比率で行くと、持株数のいかんによっては、一株に満たない、いわゆる端株が割当てられるような株主ができることがある。そのような場合の端株の取扱については従来、法律に明文の規定がなくても、端株は無視して切り捨ててよいという説、定款にそのような取扱いを認める規定があれば切り捨てることができるという説、そのような取扱いは株主平等の原則に反するから、それを許容する法の規定がない以上、認めることができず、従って端株はまとめて他に引受けさせ、その発行価額と株主に対する発行価額との差額――それがプレミアムにあたる――を端株主に分与しなければならないという説など、学説がいろいろ分れていた。そこで、要綱ではこの点に関し別段何も考えられていなかったが、法案起草の際、争いをたつためにはこの点について規定をおく方がよいということになり、そして第三説のような立場をとると実際上の不便が大きいので、第一説の立場をとることとし、それを第二八〇条ノ四の第一項但書に「但し一株に満たざる端数に付ては此の限に在らず」と規定するにいたった。しかし、これについても、若干問題があると思う。

大森　第二八〇条の四の第一項は、その本文で「……株式の数に応じて新株の割当を受くる権利を有す」と定め、但書でいわゆる端株については「この限にあらず」としている。この本文と但書との関係からすれば、端株については株主の引受権というものは全く存在しない、というふうにも読める。そうすれば、会社側としても端数の部分については発行を全然やめるか、また公募の可能な場合に公募したとしても、そのプレミアムは第二八八条ノ二により資本準備金として積立てなければならないことになる。いいかえれば、端株を一括処分してそのプレミアムを端株を受くべかりし株主に分配する、というような措置をとりうる根拠は存在しないことになる。現にそういう解釈もあるようだ。しかし、果してこの但書がそれほど強い意味をもったものと解すべきだろうか。元来端株がみとめられない現行法のもとで株主平等の原則を実質上できるだけ尊重するためには、右のような措置が最も穏当と考えられるわけだが、ただ端株の数量とかその経済的価値などの如何によっては、常に必らず右のような措置をとるべきことを要求しても、徒らに手数や費用を要するだけで実効に乏しいことがあり、殊に現在ではそういう場合が多い。こういう事情に鑑みて、原則として会社は必らずしも右の措置をとる必要はないということ、逆にいえば、株主から株主平等の原則をたてにして当然に積極的に右の措置を要求する権利はない、という趣旨を定めたのがこの但書の規定だと思う。従って、もし会社側が、定款の規定又は新株発行の取締役会決議で、端株についてはその一括処分とそのプレミアムの分配という措置をとるべきことを定めれば、その措置は有効なので、私はこの但書の規定がそういう措置の可能性をも否定するほど強い意味をもつものではないと解するが、この点どうだろう。

大隅　その通りだと思う。この但書の規定を強行法規と解するのはおかしい。この規定は、新株発行の際における会社の便宜を考慮して、とくに株主平等の原則の例外をみとめたものなのだから、会社の方でその便益を放棄して株主平等の原則に従って事を処理しようとするのに、それを違法とする理由はない。だから、定款の規定をもって定める場合はもとよりのこと、取締役会の新株発行決議をもっていま言われたような措置をとるように定めることも、何ら差支えないと思う。改正法二八〇条の四第一項但書には、再評価積立金の資本組入に関する法律三条五項のように、「新株発行決議において別段の定めがない限り」とはうたっていないが、これと同様に解すべきが当然だろう。再評価積立金の資本組入による新株の無償交付の場合と新株引受権の附与の場合とでは、もちろん株主の利益に程度の相異はあるが、だからといって格別の取扱をすべき理由はない。ただ定款又は新株発行決議に別段の定めがない場合には、端数株をあつめて株主を募集する限り、そのプレミアムを資本準備金に組入れなければならぬことは、いうまでもない。

西原　私も両君と同意見だ。但書の規定は、ただ端株主から当然の権利主張ができないという意味をもつだけだ。もともと端株の無視は、戦後のインフレによる株式界の実情から見て、やむを得ないことだが、将来株式の額面金額の引上が実現されるようになったら、再検討を促される事がらだろうと思う。

石井　私としては、端株については改正前から当然にこれを無視しうると考えていたので、第二八〇条の四の一項但書は、これを確認しただけのものということになる。そして定款を以て大森君が云われたような措置を定めることが許されるかという点についても、改正法が但書の規定を設けたということから、旧法における異り当然に否定されることになったと解すべき必要も理由もないと考える。

鈴木　この問題については、みなの意見が大体同じだ。私としては別につけ加えることもない。

(2)　雑　則

鈴木　新株発行に関連するその他の問題についての改正を一括して概観して見よう。まず、新株引受権者に対する失権予告附通知公告に関し、第二八〇条ノ五の改正によって、従来は新株引受権を持っている者に対する通知や公告は申込期日の「三十日」前に行う必要があることになっていたのを改めて、今度は「二週間」前ということに短縮した。要綱第七に従ったものだ。

それから株式申込証の記載事項に関する第二八〇条ノ六の第三号の「第二八〇条ノ二に掲ぐる事項」とあったのを「第二八〇条ノ二第一項第一号ないし第四号に掲ぐる事項」と改めた。改正法では、第二八〇条ノ二に掲げる事項、すなわち取締役会の新株発行決議できめる事項として、従来のほかに、第五号に掲げられた事項、つまり新株引受権を与うべき者云々という事項が加わったが、この第五号の事項は株式申込証の記載事項とはしないというのである。例えば今度の発行においては株主に引受権を与えたとか、あるいは何某に新株引受権を与えたというようなことは申込証の記載事項にしないという趣旨である。これはこれでさしつかえないようにも思うが、ただ、前に述べたように、この結果、新株引受権を有する者に対する新株の発行価額が申込証に記載されず、さればといって、第二八〇条ノ五の通知にも記載しないでよいので、その点疑問がある。

大隅　なお、第二八〇条ノ五の新株引受権者に対する失権予告附申込催告は到達主義と解せられるから、実際上通知は二週間よりも二、三日前に発しなければならない点が、若干注意を要するのではないか。

鈴木　その点、「発することを要する」として発信主義に改める方がよいという説もあったが、通知期間を二週間に縮めた上に、さらに発信主義にするのはひどいではないかということで、到達主義を維持することになったわけだ。

西原　ことに失権の効果がついているからね。

鈴木　それから、第二八〇条ノ六ノ第六号――新株引受権に関する事項――が申込証の記載事項から除かれた。これは新株引受権に関する事項が定款の絶対的記載事項から除外されたことと照応する。今までもこのような抽象的な規定を申込証に書かせることが果して妥当かどうか問題になっていたわけなので、これが除かれたということは、妥当と思う。

それから第二八〇条ノ八の第一項で、「二八〇条の二第三号」云々とあったのを「二八〇条ノ二第一項第三号」云々と改めたが、これはただ第二八〇条ノ二に第二項以下が新しくできたため、第一項というのが入っただけで、全く形式的な改正にすぎない。だから、これらの関係ではほとんど問題はないのではないかと思う。

(3) 経過規定

鈴木 新株発行に関する規定の改正に伴う経過規定について、多少問題になる点があるかも知れない。例えば、旧法施行中と新法施行後とにまたがって新株発行が行われるようなときに、新法施行前に取締役会で新株発行決議をしたが、そのときに端株について新株引受権を認めないという決議をしたらどうなのか、というようなことについて問題が生じないだろうか。改正法の附則第二項では、ただ、この法律の施行前に生じた事項にも原則として改正後の商法を適用する、と言っているだけだが、それからみてこの点はどういうことになるだろうか。

石井 それから従来から定款に、端株についてこういう処置をとる、と書いてあるものが新法施行後は第二八〇条ノ四の第一項但書で「一株に満たざる端株についてはこの限りにあらず」となったが、その定款がそのままであると、これに拘束されるのかという疑問を生ずる。従来は無視できないと思ってそういう措置を書いたので、今度は法律上当然に端株を無視できることとなったわけだから、改めて考え直すということになろう。

鈴木 それは株主の新株引受権に関する定めだから、定款変更はできるだろう。

大隅　定款変更はもちろんできる。むしろ問題は、定款変更をしなくとも、当然そういう規定がないものと同様に取扱われるのか、それとも定款変更をしない限り、その規定は依然として生きているものと解せられるかということだろう。

石井　そうでしょう。ちょっと前提が違ったわけですからね。

鈴木　今まで定款に、株主に新株引受権を与える、端株については一緒に売却処分してプレミアムを分ける、というように書いてあるとする。そうしたら、新法施行後でも、定款変更するまではそれに従うのではないか。

西原　そう思う。

石井　私もそう考える。定款変更しようと思えばすぐできるのだからね。

鈴木　それから、例えば、取締役会の決議で新株引受権を株主に与えることにして、その割当期日をきめたが、その決議が新法施行前になされたのであれば、それが直前であろうと、公告しないでかまわないということになるか。実際上問題になることは少いだろうが、経過措置に関する附則の規定が多少不親切だと言えるような気がする。どこを標準にして新株発行に関する新旧規定の適用の問題をきめるのか。例えば払込期日が新法施行後にくるなら、新法の規定が適用される、とか何とか、もう少し明確な形にした方がよかったような気がする。

大隅　普通ならば、新法施行前に新株発行決議があった場合には、新法施行後でも旧法の規定によるといった形になるかと思う。二十五年の改正では、そのようになっていたのではなかったか。例えば、設立とか増資などの問題について。

鈴木 附則には特別の規定がないから、問題になる、そのときどきできめるという考え方ではないか。例えば、新株発行の決議が新法施行前にあっても、新法施行後に株主に新株引受権の通知をするのならば、新法に従って二週間前に通知すればよい、ということになるのではないか。

大隅 そういうことだろうね。

(4) 現物出資に対する新株発行価額

鈴木 現物出資の場合の株式の発行価額について問題があるようだ。現物出資に対して与える株式はやはり株式の時価を標準とする価額で発行すべきものであって、現物出資をすることが認められたということ自体が当然新株引受権を与えられたということではなく、従って株式の時価にかかわらず券面額で発行できるというものではないと考える。改正法では、第三者に新株引受権を与えるためには株主総会の特別決議を経なければならないことになったので、なおさらのこと現物出資をすることが取締役会の決議で認められたというだけの理由で、プレミアムを無視し、パーで発行できるというようなことはおかしいと言わなければならないと思う。

大隅 全く同感だ。

石井 商法第二八〇条ノ二で新株発行につき一般に発行価額をきめさせ（二号）、現物出資については新株引受権の場合（五号）と異り、出資の目的たる財産の価格のみを決定せしめていること（三号）

からみても、商法はそのつもりだと解すべきだ。それに額面で割当てて利得させ、また現物の評価の点について会社の必要性とかいう理由でかなり有利な取扱をする、ということで結局何株与えるかについて、分母と分子に含みがあるということで二重に利得させることは許すべきでない。現物出資をめぐって一そう不公正なことが出てきていけない。

大隅　現物出資の目的物の評価は、必らずしも一般の市場価格によらなくともよい。会社が当該目的物について有する特殊の需要から生ずる主観的な価値を織り込むことも違法ではないと思うが、発行価額が適正な価額によらなければならないことは、鈴木君の言われた通りだと考える。

鈴木　だから現物出資の場合でも、第二八〇条ノ二の第一項第二号の新株の発行価額で発行しなければならない。現物出資の価格をその発行価額で割ったものが第三号の「これに対して与うる株式の数」になるべきものであって、その数を少くすることは認められても、多くすることは認められないということではないか。

大隅　その通りだと思う。

西原　現物出資は金銭にかわるというだけの意味しかない。引受権を与えられて、特別に有利な待遇を受けるということまでを含んでいない。それは別のことだというわけだ。当然の結論であるが……。

大森　現物出資者に割当てる株式の発行価額について、その時価を標準とする適正な価額によらず額面によって発行してよい、という理由は、どこからも出て来ないと私も思う。現物出資に対して割当てられる株式については新株引受権者の引受権は及ばない、ということは一般に承認されている。従って、新株引受権者がある場合でも、現物出資者には引受権の有無を問題としないで、所定の株式を割当ててよい、ということは云える。しかしそのことと、発行価額の点について、現物出資者に対する発行価額を新株引受権者に対する場合と当然に同じに取扱ってよいかどうか、ということは全く別の問題だ。

鈴木　もしこの点について実際界で違うやり方がなされていても、それは法律上許されない取扱いではないかと思う。

石井　だから現物出資に対して与える株式についても、プレミアムにあたる部分は資本準備金にくり入れるべきであると思う。

鈴木　もちろんだと思う。その場合のプレミアムに当る部分を配当にまわせるということではもちろんおかしい。

六　株主名簿の閉鎖及び基準日の指定

(1)　改正法の趣旨

鈴木　つぎに、株主名簿の閉鎖と基準日の制度に関する改正の問題を取り上げたい。従来は、名簿の閉鎖とか基準日の設定については、まず定款に規定を設けて置いて、そういう定款の規定がある場合に限ってこれを認めるということにしていた。それに対して改正法の第二二四条ノ二では、要綱第五に従い、定款に規定がなくても当然に名簿の閉鎖や基準日の設定をなしうるものとした。それが一つの改正である。昭和二十五年の改正以前にはこの点について法律に何らの規定がなかったので、名簿の閉鎖をするためには定款に規定を置かなければならなかった関係から、ほとんどすべての会社の定款にそういう規定が定められていた。そこで二十五年の改正では、こういう実情を受けて、定款をもって定めることができる、という形になったのだと思うが、株式会社がかなり規模の大きなものたることを前提として立法するものとすれば、定款にこのような規定がおかれていないでも、法律の予想するほとんどすべての株式会社がこのような制度を必要とすることにならざるをえない。それならば定款に特に規定をおかないでも、法律上当然にこれを認めるということにしてなんらさしつかえないわけであり、その方がより実際的なのではないか。ことに従来の制度のもとで、相当多くの会社で定款に基準日に関する定めをしていなかったため、基準日を定める必要を生じた場合に実際上困ることが起る可能性があることも考えられる。そういう点を考えて、今度の改正法でこのように改正したのだが、この点については実質的にほとんど異論がないのではないかと思うし、また解釈上もそう多くの問題は残らないだろうと思う。

(2) 二二四条の二の任意規定性

鈴木 改正法第二二四条ノ二の趣旨は、定款をもって定めておかないでも名簿の閉鎖や基準日の設定ができる、というだけのことで、もし逆に、そういう措置をしないということを定款で定めたならば、その定款の規定は有効なのか。この規定が強行法であると考える必要はないのではないかと思うが、その点はどうだろうか。

大隅 私もそう思う。この規定を強行法と解する必要はない。定款をもって、株主名簿の閉鎖または基準日の指定をしない旨を定めることを違法と解すべき理由はなかろう。ただ、先ほどの第二八〇条ノ四第二項によるいわゆる割当日をここにいわゆる基準日と解すると、一体基準日の設定を認めない旨を定款で定めることが有効かどうか、それ自身一つの自己矛盾になるのではないか、という問題が出てくると思う。

西原 そう思う。

鈴木 それは大隅君が自分でしばって自分で苦しんでいる、ということではないか。

大隅　西原さん、その点どうお考えですか。

西原　基準日の制度が新株の割当について明記されているとなると、やはりこれは排除できないのではないか。ことに基準日とか名簿の閉鎖というのは、予告することに意味があるのだから、予告がなされないということになると影響があるのではないかと思う。

大隅　それで私も、割当日を基準日と解することについて、理論的にはこれを肯定してもよいのではないかと考えながら、この改正法のもとでもやはり若干の困難を感じていたわけだ。

鈴木　第二二四条ノ二の規定をこのように改正したことについて、先ほど私は、株式会社法では一応大規模の会社が対象とされているから、多くの会社では名簿の閉鎖なり基準日なりの制度が当然に必要であるという前提から出発してさしつかえない、と言ったが、こういう見方に対しては、名簿の閉鎖とか基準日の設定が当然できるということは、小さな会社にとっては必要がないばかりかむしろ行きすぎだ、という批判がありうると思う。しかし、小さな会社では株式の譲渡ということが行われても、そのような株式は売ろうと思ってもすぐ売れるようなものではないから、投機のために買うとか、さらに流通させるために買うとかいうようなことは普通はない。だから投資のためとか経営に参加するために買うのであって、そのため譲受人は株主として権利を行使しようと考えているわけだから、名簿の書換も当然すぐにやるだろうと思う。従って、このような会社では、かりに名簿が閉鎖されても、そのために株式を譲受けたが書換ができず権利の行使をはばまれる、というようなことは殆んど起らないだろうから、改正法のように、法律上当然に閉鎖ができることになっても、そのために譲受人が迷惑する程度は、小会社の方が大会社よりもむしろ少いといえるのではないか。しかしこのような会社は株主の数も少く、株式の譲渡もあまり行われないから、名簿を閉鎖しないでも株主を充分キャッチすることができるので、法律上はできても実際には名簿の閉鎖などはもちろんやらないだろうと思う。従ってそれをもう一歩進めて、定款で閉鎖などはしないときめることがあるかも知れないが、その場合にそのような定款は無効だという必要は別段考えられないと思う。

西原　小さな会社などについてある程度考えられないではないけれども、やはり譲渡の自由の強行性という建前のもとでは、それと調和のできるような一般的な株式会社の型について考えていくべきでないか。

鈴木　そうすると西原さんは、第二二四条ノ二の規定を強行法と考えるべきではないか、といわれるのか。

西原　そうです。

鈴木　なるほど。そう徹底すれば、さっき問題になった割当期日を基準日と考える立場をとっても前後矛盾しないですむには違いないが……。

大隅　第二二四条ノ二の規定は、株主名簿の閉鎖または基準日の設定をなしうる旨を定めただけのことで、それをしなければならないとする趣旨ではない。小さい会社で実際上そんなことをする必要がなければ、しなくともよい。従ってまた、株主名簿の閉鎖や基準日の指定をなすことをとくに定款で排除することも、あまり実益はないと思う。しかし、会社が定款をもって株主名簿の閉鎖や基準日の指定をしないと定めた場合に、それを違法とするには当らない。

大森　私もそう思う。それに反して、新株発行に際しての割当期日の指定に関する規定はどうしても強行規定と解しなければならないだろう。

鈴木　それは強行法だろう。

大隅　だから、たとえ会社が定款で基準日の指定はしないと定めた場合でも、新株発行の場合の割当期日の指定は当然商法の規定によってなしうる。

鈴木　また、なさなければならない。

大隅　そう、なさなければならない。だから、たとえいわゆる割当日が基準日に当ると解する立場をとるにしても、強いて第二二四条ノ二の規定は強行法であって、定款で別段の定めをすることは許されないと、西原さんのように考える必要はないと思う。

石井　私もそう考える必要はないと思う。

大森　私は基準日を設定しうるということに関する第二二四条ノ二の規定は強行規定でなく、定款でこれを設定しないと定めたら、その定款は有効だと思う。しかし新株発行に際して割当期日を定めることを要するという第二八〇条ノ四の第二項は強行規定だと解しなければならない。その辺にもやはり前に出て来た基準日制度と割当期日制度との基本的な構想の上での相違というものがあらわれて来ているのではないかと思う。基準日も割当期日も、これを定めた場合には所定の期間前に公告しなければならぬ、という点に関する限りそれは強行規定であり、その点は両者共通だと思うが。

鈴木 西原さんがさき程言われた名簿の閉鎖と株式譲渡の自由との関係だが、譲渡の自由を強行しているのは、換価の可能性を保障しようということであって、その譲渡性を貫く立場から名簿の閉鎖は自由譲渡性をそこなうものだ、というのが普通の考え方だと思う。そうとすれば、定款で閉鎖などをしないと定めるのは自由譲渡性の原則にそれだけ近づくことになるわけだ。それに反対することは、譲渡性との関連からは出てこない結論ではないかと思う。

西原 譲渡性そのものとの関係では御説尤もだと思う。ただ私が自由譲渡性を持ち出したのは、株式会社法がこうしたことを前提とした大企業本位に出来ているといいたかったからだ。名簿の閉鎖はやらなくても、少くとも基準日を設定しないことには、二週間前の総会招集通知という法の要求も確実には充たされないことになるし、利益配当金の帰属についても合法的な処理がむずかしくなる。だから、名簿閉鎖も基準日設定も両方ともやらないということは、株式会社法全体の建前とは調和しないのではなかろうか。

鈴木 この問題はこれくらいにして、つぎに移ろう。

(3) 名簿閉鎖等に関する従来の定款規定の効力

鈴木 その次の問題は、現在の諸会社の定款には殆んど全部名簿の閉鎖に関する規定が入っているが、その規定の新法施行後における効力はどういうことになるか。

大隅　現在の多くの会社では、いわゆる定時閉鎖について定めるほかに、臨時必要があるときは株主名簿の閉鎖をなすことができる旨を規定しているが、しかし同時に基準日の指定をなすことができる旨の規定を置いている例は非常に少い。そこで、改正法施行後にそういう定款の規定がそのまま残された場合、株主名簿の閉鎖の点では法律上当然のことを定めているだけで別段問題はないが、基準日について規定をしていないため、その定款の規定は基準日の指定をなすことを排除する趣旨だと解せられることになると困る。かような結果は、今回の改正の趣旨にそわないし、会社の意思にも合しないと思う。それで、たとえ「株主名簿の閉鎖をなすことができる」というこれまでの定款の規定がそのまま存置されていたとしても、会社は改正法の規定によって別に基準日の指定をもなしうる、という解釈がなさるべきではないかと思う。

石井　私もその点賛成だ。法律の規定で当然できるものである以上、それを排除するものと解するには、単に基準日のことが定款に書かれてないというだけでは足らず、積極的に排除する趣旨が出ていなければならぬと思う。

鈴木　つまり、さっき言ったように、基準日の指定などは定款で排除することができるとしても、今までの会社にあったような名簿の閉鎖に関する定款の規定は、それに書いてなかった基準日の指定ということを当然に排除したものではない。そういうふうに解したいという趣旨だね。

大隅　そういうことだ。

鈴木　そういう従来の定款の規定――定時閉鎖の部分ではなく、臨時閉鎖ができるというような一般的規定――は削除してもいい、と考えられるが、しかしその削除は取締役会の一存でできるものではなくて、やはり総会の決議を必要とするものと思うが。

大隅　もちろんそうだろう。いまの理論からいうと、取締役会だけで削除してもよさそうに見える。しかし、定款で法の規定を反覆している例は他にもかなりあるが、一たん定款の規定として採り入れた以上は、これを削除するにはやはり定款変更の手続がいる。当面の場合も、これと同じことだとおもう。

鈴木　ことに臨時閉鎖と定時閉鎖の規定が分れた形で書かれていれば、削除ということも比較的容易だけれども、簡単に分離できるような形で書かれているかどうかが問題だし、分離できるとしても単純に削除するだけだと、あとの形がおかしくなる場合もあるだろう。

(4)　特殊の新株発行の場合と基準日又は割当期日

鈴木　そこでちょっと伺いたいが、一体、基準日を設定することが必要なような場合としては、利益配当請求権に関する問題と、それから西原、大隅説による割当期日のほかに、何か考えられるものがあるか。

大隅　臨時的に基準日の設定をする場合ということになると、ほかにはちょっと思い当らない。「利益配当は決算期現在の株主に支払う」という定款の規定は一つの基準日の指定だが、これも臨時的なものではない。

鈴木　そうすると、例えば株式の分割をするとか、あるいは準備金を資本に組み入れて新株を発行するような場合、やはり普通は何月何日現在の株主に与えるという形になるのではないかと思われるが、そのようなものについては、何月何日現在の株主に与えるというようにしないでもよいものか、どうだろう。

大隅　決議において別段の定めをしなければ、決議の時現在の株主が当然新株を取得することになるが、決議において後の一定の日の株主が新株を取得するように定めることもできなくはないとおもう。

鈴木　そうすると、そのときはそれもやはり基準日だと考えるわけだろう。そうだとすると、第二八〇条ノ四のように法律の規定がなくても、やはり第二二四条ノ二によつて当然公告しなければならぬというわけになるわけか。

大隅　そうはならないとおもう。通常の新株発行の場合には、新株発行決議そのものは決議の時に直ちに効力を生ずるが、ただその決議内容の一部をなす新株引受権の帰属者の決定のみが決議の後の一定の日にかからしめられ、その日を基準として新株引受権を有する株主が定まるわけであつて、その日がいわゆる割当日だ。ここでは、新株発行決議の効力の発生の時と、その決議にもとづいて新株引受権を取得する株主を定める時とが別になる。しかるに、資本に組入れた準備金について新株を発行したり、株式分割をする場合には、新株発行または株式分割の決議が効力を生ずれば、これによって発行される新株は当然決議の時現在の株主に帰属せざるをえないのであって、新株発行決議または株式分割の決議がまず効力を生じ、新株はその後の一定の日における株主が取得するというようなことは事の性質上みとめられえない。いいかえると、決議の効力の発生の時と、その決議にもとづいて発行される新株を取得する株主の定まる時とが分離されることはここではありえない。だからさき程私が決議において後の一定の日の株主が新株を取得するように定めても差しつかえないといったのは、準備金の資本組入による新株発行決議または株式分割の決議そのものの効力の発生時期を決議の後の一定の日と定め、ひいて決議の時よりも後の日の株主が株式を取得するようにしてもよいという意味であって、決議の効力は今直ちに生ずるが、その決議によって発行される新株の取得者は二週間後の株主とする、といった内容の決議をなしうるという意味ではない。もちろん決議そのものの効力の発生の日が基礎となって新株を取得する株主も定まるが、その日がいわゆる基準日とか割当日の観念と異ることはいうまでもあるまい。従ってまたこの場合に、第二二四条ノ二または第二八〇条ノ四第二項の規定によつて、二週間前に公告をしなければならないということも問題にならないことは、明らかだろうとおもう。

鈴木　西原さんは、その点どうですか。

西原　通常の新株発行の場合には、取締役会の発行決議の効力発生時期と引受権のある株主の決定時期とが異なるのに対し、準備金の資本組入に伴う新株発行決議や株式分割決議の場合には、取締役会決議の時現在の株主に右の決議により発行される新株が帰属することは、いま大隅君のいわれたとおりだと思う。だから、準備金の資本組入による新株発行決議や株式分割決議で、後の一定の日の株主が新株を取得するように定めることは、取締役会の決議そのものの効力発生時期を後の一定の日と定めた始期附決議だという理論構成になることも、当然の帰結と認められよう。ただしかし、このような決議が割当日とか基準日とかには関係なく、二週間前の公告も不要だとすることには、少し疑問があるように思う。

準備金の資本組入に伴う新株の帰属は、株主にとって利害関係の深いことであり、また株式分割にしても、総合した経済的価値には前後変りがないとしても、旧株券の提供その他の手数も考えられるので、株主にとって無関係のことではない。それだのに、実質上の株主にいつそれが行われるかを知らされず、名義書換の警告も与えられないで、突如として取締役会の決議だけで実現されるということは、株主保護の点から疑問ではなかろうか。あるいは株式譲渡の当事者間の問題として処理すればよいとの考え方があるかもしれないが、きわめて煩雑で争いも多くなる心配がある。だから私は、法文の起草者が意識したかどうかは別問題として、これらの場合をも基準日の観念のうちに入れたらどうかと思う。そうすると、常に始期附決議として事前公告させる結果となる。

一体、第二二四条ノ二の基準日の解釈に当って、条文中の「株主又は質権者として権利を行使すべき者を定むる為」という字句に捉われる必要はないのではないか。基準日制度の母法である米国諸州のレコード・デートの規定の中にも、総会の通知の受領および議決、配当金などの受領、諸権利の割当、それから株式の変更や転換や交換に関する諸権利の行使などを並列して記載してあり、結局、株主の具体的な各種権利の所在あるいは地位の変動を画一的に決定する時期的基準というのが、基準日の本質だと思う。

なお、ついでながら、再評価積立金の資本組入法では、組入の場合の新株発行には総会の特別決議がいり、そして株主は決議の時から無償新株の株主となる建前であるから、これは総会開催そのもののためにすでに名簿閉鎖か基準日設定かが行われているわけである。だから、この場合には重ねて基準日や事前公告の問題は起らない。

大森　どうも基準日制度というものは、株主資格者が何人であるかが問題になるようなある措置ないし行為が将来において行われることを予想し、その場合のために、会社があらかじめ事前のある日を、すなわち行為の日から見れば過去のある日を定めて、その日の株主を基準として問題を処理してもよい。そういう制度だ、という念が抜け切らない。その考え方から、いま問題になっているような事情の下で株式分割や準備金資本組入の場合の新株を受くべき株主が定まる日は実は基準日でなく、従って第二二四条ノ二の適用を受くべき限りではないということになるのだと思う。

石井　前に議論したように割当日と基準日との関係については私も大森君のように考えている。いずれにせよ株式の分割の場合新株は当然に決議の時の株主に帰属するわけであり、特別な払込がなされるわけではないから、当事者間の問題として処理しても大して問題はない。

(5)　閉鎖などの期間

大隅　なお、改正法の第二二四条の二第二項第三項で、閉鎖しうる期間等の限度が六十日から二カ月に変更された。この点がやはり従来の定款の規定の効力について、問題をおこすのではないかと思う。この二カ月の期間は、民法の期間の計算に関する規定（民一四三条）によって定められるから、あるいは六十日よりも長いこともあるし、逆に短かいこともありうる。従って、従来の定款に、「定時総会は決算期の後六十日以内に開く」という規定がある場合には、その規定は改正法のもとではそのままの効力をもちえない場合を生ずるのではないか。例えば、十二月三十一日を決算期とする会社だと、六十日ぎりぎりに定時総会を開いたのでは改正法の規定違反になると思う。その場合に従来の定款の規定はどうなるか、という問題があるのではないか。

鈴木　たしかにあると思う。そうすると、定款変更をした方が会社としては工合がいいということだろう。

大隅　そういうことになる。従来から「決算期の翌々月に定時総会を開く」といふ形の定款が相当行われているが、むしろこの形をとるのが妥当だということになる。十二月三十一日が決算期の場合、一月は三十一日、二月は二十八日だとすると、六十日目に定時総会を開いたのでは二カ月を超えるから、明らかに改正法の規定からいうとまずいことになる。

西原　その場合に定款を改正するのが望ましいことは事実だが、それによって従来ある定款は、強行法の期間より長い場合には強行法の限度に短縮される、強行法の期間よりも短い場合にはその定款の規定が効力を有する、ということであってもかまわないのではないか。

大隅　私もそう思う。結局決算期の後六十日以内に定時総会を開くという規定は、決算期の翌々月中に定時総会を開く趣旨と解して、その限度で効力をもつものと認めていいと思う。

西原　もし定款に定めた六十日が二カ月を越えるときは、その二カ月に法律によって短縮される。

鈴木　二カ月より短かくても二カ月に延びると、何故解釈されないのか。

西原　その場合には定款優先で、定款が強行法規をさらに短かくしたのだから、その六十日の方は生きる。

大隅　私は、そうではなくて、結局決算期の翌々月中に定時総会を開くという意味に解して、ある場合には短縮されるし、ある場合には伸長されるということで、従来の定款の効力を認めるのが合理的ではないかと思う。

西原　しかし、そうすると二カ月という強行法が、その限りにおいて破られることになる。

鈴木　いや、二カ月を超えるわけではない。だから、二カ月まで伸びることもあるし、二カ月に縮むこともある。しかし、法定の二カ月というものが常に標準になるわけだ。つまり大隅君の言われる意味は、今まで六十日ということをきめていたのは、法定の最大限度まで利用しようという意図で規定されたのだから、六十日と書いてあるのは、新法による最大限度のところできまるというふうに考えようというのではないか。そういう最大限度というのが当事者の合理的意思なのだから、六十日というのをそう読もうという趣旨ではないかと思う。

石井　そうすると、定款の規定を変えなくてもいいということになるわけだろう。

大隅　変えなくともよい。ただ、変えた方がより明確になるというだけだ。

石井　その点は問題が残るので、定款ではっきりと短かくしている規定が残っているときには、六十日以内という西原さんの言われるような解釈のほうが妥当だと思う。新法施行後、最大限の六十日までやろうとすれば、定款を書き直しなさいということでよいのではないか。

大隅　短縮の場合だけはみとめるが、六十一日に伸びる方はいけないというのは、どうだろうか。

西原　しかし、法律で最大限がきめられたんだから、その方はやむを得ないことであって……。

大隅　私の考えも、法定の最大限まで認めるだけで、改正法の規定を越えて伸長をみとめようというのではない。

石井　改正法より長い期間を定めたことになるような場合には、当然に改正法の二カ月ということに考えていけばよい。少し例が違うが、地上権につき法定の最長期間によって約定していても法律が変ってそれが短かくなれば当然に新しい期間のものに短縮されるわけで、いわば「一部無効」の理論で地上権そのものは無効としないのと同じに考えればよい。そして二カ月より短くなるような場合については、当事者の意思としては、おそらく大隅君の言われるように、法律の最大限をうたうつもりであった場合が多いだろう。しかし、ともかく定款に六十日という趣旨で書かれていることについての解釈の問題なので、それは定款で法律の許容する期間内ということで抽象的な定め方をしていなかったことから生ずる結果としてやむをえないことというほかはない。定款で条文そのままを引用して書いてあるような場合には、その内容は法律の変更に自動的に対応するといえるが、法律と同じ内容でも特別に定款に書いてある場合には、ともかく自主的にそのような表現から受けとれる内容を決定して書いているのであるから、その文字を中心として、どう受けとれるかと解釈するほかはなく、この点は定款などについても同じだと思う。それだけに、そういうふうな扱いをしたくなければ定款を変えたらいいのじゃないか。

大隅　もちろん変えたらいい。しかし、定款で従来の法律がみとめる最大限たる六十日をうたっている以上、改正法のもとでも改正法による最大限の利益を享受しようというのが、その定款を定めた会社の意思だと考えられる。その意思に即した解釈をするのが、合理的だといえないだろうか。

大森　三十日の月と三十一日の月と二カ月を合せれば六十一日ということになるから、それは定款の定める六十日を越えているじゃないかということなのだが、そういう場合、やはり定款の六十日というのは改正法の下では二カ月と読みかえるという解釈が合理的じゃないか。もし改正法施行後になってからわざわざ六十日と定める定款を作れば別だけれども、従前の六十日というものがそのまま残っているとすれば、改正法のもとでそれは二カ月という趣旨に解釈する。そのくらいの解釈はできるのではないか。

石井　法律は「二月を超えることを得ず」と書いてあるので、二カ月にするということではない以上、定款の表現がそれより短いものとなっているのを当然に二カ月とするのは問題だと思う。定款は個別的な一回限りの契約の内容とは違うのであって、定型的に将来に向って適用されるものだから、最初の意思もさることながら、一般に株主がその文字からみてどう受けとるかという点で解釈すべきだと思う。従って法律に当然に読替えるという規定がない以上仕方がないと考える。

西原　大隅君のようにいわれるのは、実際界には便宜かもしれない。しかし期間の計算は問題を起し易いから、定款を改正しない以上、やはり厳格に解するのがよいと思う。

七　少数株主による総会招集

(1)　改正法の趣旨

鈴木　その次は少数株主の総会招集権に関する第二三七条の改正の問題だ。これについては、従来、少数株主が会社に対して総会の招集を請求して会社が二週間内に総会招集の通知を発しないと、請求をなした株主は裁判所の許可をえてみずから招集をすることができる、ということになっていたが、会社が二週間内に招集の通知を発することは実際上不可能なことを要請しているものであるから、さような規定は妥当を欠く、という考え方が有力に主張されていた。そこで改正法第二三七条の第二項前段は、要綱第八に従って、請求があったのに遅滞なく総会招集の手続がなされなかったときは、株主が裁判所の許可をえて招集することができる、というふうにしたわけである。

この「遅滞なく総会招集の手続がなされざるとき」は少数株主が裁判所の許可をえて招集できるというのは、請求を受けた会社の方で遅滞なく取締役会の招集の手続をふんで取締役会を開き、その結果として株主名簿の閉鎖の手続を遅滞なくやっていく。すなわち、遅滞なく閉鎖の公告をし、閉鎖後においては遅滞なく名簿の整理をして、遅滞なく招集の通知を発する。換言すれば、招集にいたるすべての手続が、いかなる段階においても遅滞なく進められていなければ、どの段階においても株主が裁判所に招集の許可を求めることができる。こういう趣旨の規定だと思う。

そうすると、遅滞なく招集の通知は出されたが、その会日が数カ月後だということでは困るので、そこでさらに、その会日というのは請求の日から六週間内の日でなければならないという制約を付する趣旨から、第二三七条第二項の後段で、「その請求ありたる日より六週間内の日を会日とする総会の招集の通知が発せられずまたは公告がなされないとき」も裁判所の許可を得て招集することができる。としたわけである。従って、四週間内に総会の招集の通知がなされなければ、当然裁判所の許可をえて招集をなすことができることになるわけだし、また、四週間内に総会招集の通知が出されても、その会日が四週間よりも遅れている場合にも同様に裁判所の許可をえて招集することができる。

つまり、このような改正で、今までの規定の不備を相当程度修正したことになると言えるのではないかと思う。

ただ、問題があるのは、実際界の話によると、取締役会の招集をして取締役会を開催するのに法定の一週間がかかる。それから株主名簿を閉鎖するための公告は新聞に掲載してしなければならないが、スペースをとるためには三日ぐらいいるのではないか。そしてその公告は二週間前にしなければならないから、閉鎖が行われるのはちょうどそれから二週間たった日になる。そうすると、先ほど言った四週間にはあと四日ほどしか期間がない。ところが、実際上普通に株主名簿の閉鎖をしている場合には、名簿の整理をするのに一週間、宛名のカードを整理するのに一週間、印刷をしそれを封筒に入れるのにほぼ四日程度かかるということになるわけで、とうてい四週間内にこのような手続を進めることは不可能である。従ってこれをもっと延ばして、例えば「請求ありたる日より二カ月内の日を会日とする総会の通知が発せられないときは云々」というふうな形にしなければ、結局二週間内に通知を発しないというのを、四週間、つまり倍にしたというだけでは、問題が処理できない。こういう批判がある。

それについて考えられる問題は、名簿を閉鎖する普通の場合は、例えば期末であるとか、あるいは新株の割当をするとかいうときで、このときは権利をまもるために株式の譲受人が名義書換を請求することが非常に多く、一時に書換請求が殺到するけれども、単に臨時総会が開かれるにすぎないような場合には、名義の書換を請求する者はそれほど多くはないのじゃないか。そうだとすれば、名簿を閉鎖してから整理をし、宛名を書くようなことをしないで、もうその前からそれをしても、それによって書き直さなければならない分は、そんなに多くはないのではないか。そのとき若干のものを訂正する必要が生じても、それが四日とか何とかいうふうなものでできないことはないのじゃないかという反論が、それに対して考えられうる。こういう問題がある。

石井　実際問題としては、発送の点はあるいはそういうふうにやれるかもしれない。けれども、公告の場合に官報にすぐ掲載してくれるかどうか、それが割に手間取るのではないかというようなことを言う人もある。

鈴木　それは新聞でも普通三日くらいかかる。しかしそれに対しても、こういう見方がある。取締役会を招集して、取締役会の決議があってから新聞に申込めばなるほど三日間くらいかかるだろう。しかしこういう場合に理由のある招集の請求だというのであれば、取締役会の招集をするとともに、それから先の手続、たとえば新聞公告の申込とか総会会場の予約などをしておくのが取締役に善良な管理者として要求されるところであって、取締役会の決議が成立してから手続にとりかからなくたってよいではないか。そうすれば、取締役会の決議があってから三日とか四、五日とかいう余裕をとっておかなければならないという議論も不正確ではないか。そう考えると、四週間では無理だということも必ずしもないのではないかという感じがしないでもない。

石井　この問題は理窟よりも実務上どうかということと非常に関係する。一般の場合に不可能なところで、最長限を限っているとすれば妥当でないわけで、その点は実情に相応して直すか直さないかを考えればよい問題だ。

鈴木　それからもう一つ、こういうことも考えられるのではないか。株主の数が数万もあるような非常に大きな会社で少数株主による総会招集権が実際上行使されることは稀れであって、少数株主による総会の招集ということは比較的小会社において問題になるにすぎぬのではないか。そうだとすると、大会社の場合における期末の書換とか、新株割当のときの書換とかいうときの状態を基準にして問題を考えて充分な余裕をとると、比較的小会社では期間が長すぎて、株主の保護という点に欠けるという心配が起るのではないかという気もする。そう考えると、いま問題の期間を延ばした方がいいという意見についても、にわかに賛成しがたい点もある。

大隅　遅滞なく総会招集の手続がなされないときは、裁判所の許可をえて少数株主みずから招集することができるのだから、六週間を二カ月にしても必ずしも不当だとは言えない。問題は結局これで実際の必要がまかなえるかどうかということだけで、理窟ではないと思う。ただあまりに長くすれば、濫用の弊害があることは確かだ。

鈴木　ただ、実際界の人がまかなえないと言っている理由が正しいかどうか問題だ。少数株主から招集の請求を受けた場合の経験は別段ないわけだ。従って普通やっている閉鎖の場合の状態を類推して、それを議論の基礎にしてよいかどうかということが、問題として残るのではないかと思う。

石井　さっきの取締役会であらかじめ新聞公告をとっておけばいいというのは、普通の場合は取締役会が一致して動くような場合で、少数株主権の発動があってごたごたがあるというような場合には、意見が分れることもありえて、できないということもあるから、予め新聞公告をとっておけばよいということでは問題が残る。結局実際界で合理的に、これで間に合うかということにかかっている問題だ。

鈴木　取締役会でそれが通らなければ公告を掲載しなければいいだけだから、やはり代表取締役であり、取締役会を招集しているような者としては、善良な管理者の注意義務で事を判断していくべきではないか。それをしないで、間に合わないというのは必らずしも合理的な主張といえないのではないか。

石井　法律上は取締役会の決議を経ない前にやれとは要求できないだろう。そうやったら間に合うだろうが、取締役会できめてからすぐ動いても、法律上はちっとも悪いことじゃないから、そこが問題だ。実際にやれるかということと、法律違反ないし法律の要請かという問題とは別で、取締役会できまってから動いてちっとも悪いことでなく、遅滞はないだろう。従って、それで而も、右の期間では間に合わないようでは困る。

西原　ノーマルな場合を考えてね。それから遅滞なくというのは、今のお話のように、各手続の段階どれでも遅滞があってはいけない、そういう趣旨のように解されるが、しかしそういうふうにして裁判所の許可を一々の段階で求める。しかも裁判所ではまたなかなか手続がおくれるというようなことになると、実際問題としては、はなはだ困ったことになりはしないか。むしろ立法としては最もつかみやすい招集通知の期間だけを制限する方が合理的なことではないか。

鈴木　しかしその点は第二三七条第二項の後段にある。

西原　後段にむろんあるが、その前でも例えば取締役会を開く開かぬというだけでも、これはいけるだろう。

鈴木　もちろん、請求できる。

西原　しかし、そういうようなことをすると問題が多くなるから、やはり一つのところだけを確実につかむという方が立法としては簡明ではなかろうか。

大隅　西原さんの御意見を具体的にいうと、従来「二週間以内にその通知を発せざるときは」とあるのを、例えば「四週間内に発せざるときは」というようにその期間を伸長するにとどめておいた方が適当ではないか、ということかと思う。もしそうだとすると、たとえ会社に総会を招集する意思のないことがわかっていても、請求した株主はその期間待っていなければならない。そこにジレンマが出てくる。

鈴木 だから、遅滞なく進められているという立証ができないならば、それで仕方がないけれども、そのような立証ができる場合には、別段四週間待たせなくてもいいではないかという考え方だ。

西原 裁判所に許可を求めても、相当に時日がかかる。

鈴木 いや比較的に早いらしい。

石井 むしろ実際界でおそれるのは、許可が簡単に下りはしないかという点だと思う。その許可に対して即時抗告というか、争う道がないということから、慎重にやってもらいたいというような意見もある。

西原 遅滞なくというようないわゆる一般条項は、できるだけ避けたいと思う。

鈴木 その点はさっき言ったから重ねては述べないが、ただ、総会招集の手続というなかに、私がさっき言ったような名簿の閉鎖というようなものが入るかどうかという点が多少問題だと思う。形式的に言えば総会招集の手続自体でないと言えるが、それも実質的にはここにいう総会招集の手続に入ると考えざるをえないのではないかと思われる。

西原　もしこの条文がそのままだとすれば、そう解釈しないと趣旨は通らない。
石井　「招集の通知」とか「招集」という言葉が商法に多い。そのなかに特に「招集の手続」という言葉を使ったことは、非常に広い意味と考えなければならないのじゃないか。
大隅　招集の手続というのは、必らずしも純粋に法律の要求している手続だけをいうのではなくて、それぞれの会社において実際上招集のため必要とされる手続の意味だと考える。従って、名簿の閉鎖を必要とするような会社では、当然名簿閉鎖も招集の手続に含まれると思う。
大森　昭和二十五年の改正前には丁度この文句だった。期間の点は請求ありたる後「二週間内に」となっていたけれども、その間に取締役が「招集の手続」をなさざるときは、となっていた。そのときの「招集の手続」という文句の解釈もいまのお話と同じようなことではなかったか。
鈴木　それが今度の改正法では「遅滞なく」と書いてあるために、実質的には非常な違いが出てきた。そして前の規定で、招集の手続というのはどこまでやったらいいかということが問題になったのに対して、今度はここにすべてを含ませるということになった。

(2)　少数株主の招集権と取締役の招集権

鈴木　第二三七条第二項の改正自体については、おそらく今言ったような程度のことしか問題にならないだろうと思うが、この規定の全体についてはいろいろな問題があるだろうと思う。一つ考えられるのは、少数株主が裁判所から招集の許可を得た後に、取締役の方が思い直して総会の招集をしてその結果二つの総会が開かれる、というような事態が従来あったようであるが、一体そういう同じ議題について二つの総会を招集できるということ自体が非常におかしなことではないかと思う。少数株主が招集の許可をえたあとでは、取締役がそれと同じ議題について別に総会の招集をするということはできなくなる、そういう解釈をすべきではないか。

大隅　私もそう思う。いま言われたように、二つの総会が開かれることもおかしいし、招集手続に要する会社の負担も二重になるから、やはり少数株主が招集の許可をえた場合には、その許可をえた少数株主の同意をえてというか、あるいは少数株主から委任されて取締役がやるというのならばいいけれども、少数株主と独立して取締役が招集することはできないのではないか。

大森　少数株主が裁判所の許可をえたあとはもう取締役会の方では開けないというのか。それとも少数株主が許可に基いて招集手続をやった、そのあとでは取締役会の方では招集できないというのか。

大隅　許可をえただけの場合でも、少くともその特定の議題に関する総会については当該少数株主が招集権をえたわけで、従って取締役が招集する場合には、その少数株主の招集を代行するのなら別だけれども、当然にはできないということになるのではないか。

鈴木　その点は、大隅君のように考えないでも、少数株主がいわば機関的地位に立ったわけだ。それを辞任するといったような考え方、つまり、少数株主が招集権を放棄すれば、原則にかえって取締役に招集権があるということで、何も委任を受けなくても、少数株主が自分の方ではやらないと言えばそれで済むのではないか。

大隅　少数株主が招集しないといえば、会社ももちろんしないのが普通の状態だから、それを考えるのはどうだろう。私の言うのは、少数株主が招集の許可をえた以上は、むしろ会社の方で招集しようという場合に、取締役が招集するためには、少くとも少数株主の委任というかあるいは少数株主の同意というか、そういう関係がなければいけないという意味だ。

鈴木　僕の言うのも実質的には同じことを考えているのだ。要するに、会社と少数株主との間のネゴシエーションで、君の方がやめてくれれば、会社の方で招集する、会社の方で招集してくれるのならば自分の方はやめようということでいくわけだ。

大隅　私の考えも、少数株主が招集の許可をえて招集手続をしようとしているのに、それと独立に取締役が同じ議題について別の総会を招集することはできない、ということだ。

鈴木　その点、全く同意見だ。これまでに、二つの総会が開かれ、決議が重複して、どちらが正当か争いがあった事例があると聞いて、そんな誤解もあるものかと実は驚いたくらいだ。

大隅　その場合に、かりに少数株主と競合して取締役も総会を招集したとすれば、その総会は権限のない者の招集した総会で、その決議は不存在だと思う。

鈴木　やはり不存在で単なる決議取消の訴の原因に止らないだろう。

石井　私も全く同感だ。

(3) 立法論的考察

鈴木　最後の問題は、少数株主が招集の許可を得たということは、少数株主が招集の手続すべて含めてやれるということになるのか。先ほど言ったような考え方によれば、名簿の閉鎖もその中に含まれるが、そういうことまで少数株主ができるということになるのか。それともその点は当然にできるということではないのか。むずかしい問題だが、この点は前にジュリスト（八〇号四三頁以下）の共同研究において研究したことなので、重ねてここでもう一度取上げる必要もないだろうと思う。

ただあのときに問題にしなかったことだが、立法論として考えたときに、この問題を、丁度二九四条のような、裁判所が取締役に招集を命ずるというような制度に切りかえていくのが妥当ではないか。そうすれば、今言ったように二重に総会が開かれるという問題もないし、名簿の閉鎖も会社によって行われるから当然スムースに動いていく。もし、その場合に取締役が裁判所の命令に従わなかったらどうするかという反対があるかもしれない。しかし、二九四条の場合は、取締役に不正の行為あることを疑うに足るべき理由がある云々といったような場合なので、もちろん取締役としては総会の招集をしたくない場合なのだが、裁判所が招集を命令するのであって、少数株主の請求よりも、もっと強い要求のある場合の問題でさえあのような形で解決されている。そうだとすると、今問題の少数株主の請求があった場合も、少くともあれと同じ形へ持っていって、心配ならば罰を課することにしたら、すべてがスムースに動くのではないかと思うが、どうだろう。

西原　賛成だ。

大隅　私も賛成だ。

大森　私もその方がすっきりすると思う。二九四条の命令に従わない場合の罰則は四九八条一項一七号にある。

鈴木　そういう形でいろいろな問題を片づけて行くことにすれば、この前の共同研究で考えたように、例えば裁判所が名簿の閉鎖の許可まで与えるという形まで持っていくことよりは、ずっと簡単に片づくのではないかと思う。

西原　ことに、総会の招集手続をとるとなると、会社の事務機構を大いに動員しなければならないのに、ごく一部の少数株主のために会社の現重役陣の意向に反してやるというようなことになると、運営がなかなか円滑にいきかねると思うから、それはお話のような趣旨に改めたらいいと思う。現在も罰則はあるが、ただ、これを徹底すると、単なる過料というにとどまらず、取締役の解任というところまでいけるといい。ところが、現行法では二五七条の三項で一応総会で少数株主が取締役解任の動議を出して、それが否決されたときでないと、解任の請求を裁判所にできないことになっている。この手続をもう一つ簡単にして、招集しないというだけの事由でも解任できるとすると、徹底すると思う。

大隅　お説の通りで、現行法のもとで、取締役解任の訴を起すのには、まず株主総会の招集を求めて、そこで解任決議が成立しなかった場合でなければならない、としているのがおかしいと思う。

鈴木　同感。

石井　全く同感で格別つけ加えることはない。

八　株式及社債の申込証、転換請求書の通数

鈴木　それから、株式申込証が今まで商法の規定では二通必要であったが、非訟事件手続法の改正で一通でもよいことになっていたので（非訴一八七Ⅱ2）、商法上もそれに合せて一通でよろしいという形にするために、要綱第四に従い、一七五条の第一項の中の「二通」というのを削った。それに合せて転換株式の転換請求に関する二二二条ノ五の第一項においても、また、社債申込証に関する三〇一条の第一項の規定においても、さらに転換社債転換請求に関する三四一条ノ四の第一項の規定においても同じように「二通」という文字を削って一通でよいということを明らかにした。この点は別に問題はないだろうと思う。

九　創立総会の規定の整備

鈴木　最後に、第一八〇条の第三項で創立総会に準用している株主総会の規定に第二四九条を追加した改正がある。第二四九条は決議取消の訴を起した株主の担保提供義務に関する規定だが、はじめ昭和二十五年の改正でそれが削除されたので、一八〇条第三項に列挙してある準用条文からもそれを落した。ところが、二十六年の改正で二四九条が形をかえて復活したので、そのとき一八〇条第三項にそれを当然入れなければならなかったのだが、それを入れ忘れてしまった、今度の改正はその不体裁を直しただけのもので大して問題になる点もないから、一言するに止める。

新旧会社法対照表

昭和三〇年六月三〇日公布の「商法の一部を改正する法律」（法律第二八号）の前後の規定を対照し、さらに昭和三〇年三月二五日法制審議会で決議された、「商法の一部を改正する法律案要綱」を加えたものである（上段に改正に織り込んだ新条文を、中段には旧法の条文を、下段には要綱を掲げる）。

商法（明治三二・三・九法律四八號）

改正法

第四章　株式會社

第一節　設立

第一六六條（定款の作成）①五　削除

第一七五條（株式の申込）①株式ノ申込ヲ爲サントスル者ハ株式申込證ニ其ノ引受クベキ株式ノ數及住所ヲ記載シ之ニ署名スルコトヲ要ス

第一八〇條（創立總會）③第二百三十二條第一項、第二百三十三條、第二百三十九條第三項第五項、第二百四十條第二項、第二百四十一條第一項、第二百四十三條、第二百四十四條、第二百四十七條乃至第二百五十條、第二百五

舊法

第四章　株式會社

第一節　設立

第一六六條（定款の作成）①五　會社ノ設立ノトキニ定メラレタル會社ガ發行スル株式ノ總數ニ付株主ニ對スル新株ノ引受權ノ有無又ハ制限ニ關スル事項若シ特定ノ第三者ニ之ヲ與フルコトヲ定メタルトキハ之ニ關スル事項

第一七五條（株式の申込）①株式ノ申込ヲ爲サントスル者ハ株式申込證二通ニ其ノ引受クベキ株式ノ數及住所ヲ記載シテ之ニ署名スルコトヲ要ス

第一八〇條（創立總會）③第二百三十二條第一項、第二百三十三條、第二百三十九條第三項第五項、第二百四十條第二項、第二百四十一條第一項、第二百四十三條、第二百四十四條、第二百四十七條、第二百四十八條、第二百五

要綱

第一、新株引受權に關する事項は、定款の絶對的記載事項としないこと。

第四、株式申込證…………は、一通で足りるものとすること。

十二條、第二百五十三條及第三百四十五條ノ規定ハ創立總會ニ之ヲ準用ス

第一八八條〔設立の登記〕

②一　第百六十六條第一項第一號乃至第四號及第九號ニ掲グル事項

第二節　株式

第二二二條ノ五〔轉換の請求〕①株式ノ轉換ヲ請求スル者ハ請求書ニ株券ヲ添附シテ之ヲ會社ニ提出スルコトヲ要ス

第二二四條ノ二〔株主名簿の閉鎖及び基準日〕①會社ハ議決權ヲ行使シ又ハ配當ヲ受クベキ者其ノ他株主又ハ質權者トシテ權利ヲ行使スベキ者ヲ定ムル爲一定期間株主名簿ノ記載ノ變更ヲ爲サズ又ハ一定ノ日ニ於テ株主名簿ニ記載アル株主若ハ質權者ヲ以テ其ノ權利ヲ行使スベキ株主若ハ質權者ト看做ス

②前項ノ期間ハ二月ヲ超ユルコトヲ得ズ

③第一項ノ日ハ株主又ハ質權者トシ

十條、第二百五十二條、第二百五十三條及第三百四十五條ノ規定ハ創立總會ニ之ヲ準用ス

第一八八條〔設立の登記〕

②一　第百六十六條第一項第一號乃至第五號及第九號ニ掲グル事項

第二節　株式

第二二二條ノ五〔轉換の請求〕①株式ノ轉換ヲ請求スル者ハ請求書二通ニ株券ヲ添附シテ之ヲ會社ニ提出スルコトヲ要ス

第二二四條ノ二〔株主名簿の閉鎖及び基準日〕①會社ハ議決權ヲ行使シ又ハ配當ヲ受クベキ者其ノ他株主又ハ質權者トシテ權利ヲ行使スベキ者ヲ定ムル爲定款ヲ以テ一定期間株主名簿ノ記載ノ變更ヲ爲サザル旨又ハ一定ノ日ニ於テ株主名簿ニ記載アル株主若ハ質權者ヲ以テ其ノ權利ヲ行使スベキ株主若ハ質權者ト看做ス旨ヲ定ムルコトヲ得

②前項ノ期間ハ六十日ヲ超ユルコト

第四、……轉換株式……の轉換請求書は、一通で足りるものとすること。

第五、株主名簿の閉鎖または基準日は、定款の規定をまたず、取締役會の決議をもつて定め得るものとし、これを臨時に定める場合の公告は、二週間前にするものとすること。

テ權利ヲ行使スベキ日ノ前二月内ニ於テ之ヲ定ムルコトヲ要ス

④會社ハ第一項ノ期間又ハ日ヲ二週間前ニ公告スルコトヲ要ス但シ定款ヲ以テ其ノ期間又ハ日ヲ指定シタルトキハ此ノ限ニ在ラズ

第三節　會社ノ機關

第二三七條〔少數株主による招集の請求〕

②前項ノ請求アリタル後遲滯ナク總會招集ノ手續ガ爲サレザルトキハ請求ヲ爲シタル株主ハ裁判所ノ許可ヲ得テ其ノ招集ヲ爲スコトヲ得其ノ請求アリタル日ヨリ六週間内ノ日ヲ會日トスル總會ノ招集ノ通知ガ發セラレズ又ハ公告ガ爲サレザルトキ亦同ジ

第三節ノ二　新株ノ發行

第二八〇條ノ二〔發行事項に關する決定〕

①五　新株ノ引受權ヲ與フベキ者並

ヲ得ズ

③第一項ノ日ハ株主又ハ質權者トシテ權利ヲ行使スベキ日ノ前六十日内ニ於テ之ヲ定ムルコトヲ要ス

④會社ハ第一項ノ期間又ハ日ヲ三十日前ニ公告スルコトヲ要ス但シ定款ヲ以テ其ノ期間又ハ日ヲ指定シタルトキハ此ノ限ニ在ラズ

第三節　會社ノ機關

第二三七條〔少數株主による招集の請求〕

②前項ノ請求アリタル後二週間内ニ總會招集ノ通知ガ發セラレザルトキハ請求ヲ爲シタル株主ハ裁判所ノ許可ヲ得テ其ノ招集ヲ爲スコトヲ得

第三節ノ二　新株ノ發行

第二八〇條ノ二〔發行事項に關する決定〕

第八、少數株主の株主總會の招集は、その請求のあつた後遲滯なく總會招集がなされないときは、裁判所の許可を得て、自らすることができるものとすること。その請求のあつた後四週間内に總會招集の通知が發せられずまたは公告がなされないときも同樣とすること。

第二、新株引受權は、株主に對しては、新株發行に關する取締役會の決議により與えることができるものと

ニ引受權ノ目的タル株式ノ額面無額面ノ別、種類、數及發行價額

②株主以外ノ者ニ新株ノ引受權ヲ與フルニハ定款ニ之ニ關スル定アルトキト雖モ與フルコトヲ得ベキ引受權ノ目的タル株式ノ額面無額面ノ別、種類、數及最低發行價額ニ付第三百四十三條ニ定ムル決議アルコトヲ要ス此ノ場合ニ於テハ取締役ハ株主總會ニ於テ株主以外ノ者ニ新株ノ引受權ヲ與フルコトヲ必要トスル理由ヲ開示スルコトヲ要ス

③前項ノ場合ニ於ケル議案ノ要領ハ第二百三十二條ニ定ムル通知及ビ公告ニ之ヲ記載スルコトヲ要ス

④第二項ノ決議ハ決議後最初ニ發行スル新株ニシテ其ノ日ヨリ六月內ニ拂込ヲ爲スベキモノニ付テノミ其ノ效力ヲ有ス

第二八〇條ノ四（新株引受權の內容）

①新株ノ引受權ヲ有スル株主ハ其ノ有スル株式ノ數ニ應ジテ新株ノ割當ヲ受クル權利ヲ有ス但シ一株ニ滿タザル端數ニ付テハ此ノ限ニ在ラズ

第二八〇條ノ四（新株引受權の內容）

新株ノ引受權ヲ有スル株主ハ其ノ有スル株式ノ數ニ應ジテ新株ノ割當ヲ受クル權利ヲ有ス

すること。ただし、定款に別段の定をすることを妨げないこと。

第三、新株引受權を株主以外の者に對して與えるには、株主總會の特別決議により、これを與えるべき株式の額面無額面の別、種類、數および發行價額を定めなければならないものとすること。

この場合においては特にその者に對し新株引受權を與えなければならない理由の開示あることを要するものとすること。

　前項の決議は、決議の日から六月を經過したとき、または決議後新株の發行があつたときは、その效力を失うものとすること。

第六、株主に新株の割當をなすべき場合には、取締役會の決議をもつて割當日を定めることを要し、これをその日（その日が株主名簿の閉鎖期間中であるときは、その期間の初日）の二週間前に公告するものとするこ

②株主ガ新株ノ引受權ヲ有スベキ場合ニ於テハ會社ハ一定ノ日ヲ定メ其ノ日ニ於テ株主名簿ニ記載アル株主ガ前項ノ權利ヲ有スベキ旨ヲ其ノ日ノ二週間前、若シ其ノ日ガ第二百二十四條ノ二第一項ノ期間中ナルトキハ其ノ期間ノ初日ノ二週間前ニ公告スルコトヲ要ス

第二八〇條ノ五〔新株引受權の行使〕③前二項ノ通知又ハ公告ハ第一項ノ期日ノ二週間前ニ之ヲ爲スコトヲ要ス

第二八〇條ノ六〔株式申込證〕

三　第二百八十條ノ二第一項第一號乃至第四號ニ掲グル事項

六　削除

第二八〇條ノ八〔現物出資の検査〕①現物出資ヲ爲ス者アル場合ニ於テハ取締役ハ第二百八十條ノ二第一項第三號ニ掲グル事項ヲ調査セシムル爲検査役ノ選任ヲ裁判所ニ請求スルコトヲ要ス但シ其ノ者ニ對

第二八〇條ノ五〔新株引受權の行使〕③前二項ノ通知又ハ公告ハ第一項ノ期日ノ三十日前ニ之ヲ爲スコトヲ要ス

第二八〇條ノ六〔株式申込證〕

三　第二百八十條ノ二ニ掲グル事項

六　株主ニ對スル新株ノ引受權ノ有無又ハ制限ニ關スル事項若シ特定ノ第三者ニ之ヲ與フルコトヲ定メタルトキハ之ニ關スル事項

第二八〇條ノ八〔現物出資の検査〕①現物出資ヲ爲ス者アル場合ニ於テハ取締役ハ第二百八十條ノ二第三號ニ掲グル事項ヲ調査セシムル爲検査役ノ選任ヲ裁判所ニ請求スルコトヲ要ス但シ其ノ者ニ對シテ與

と。

第七、新株の引受權を有する者に對する失權豫告付の通知または公告は、申込期日の二週間前にするものとすること。

シテ與フル株式ノ數ガ發行濟株式ノ總數ノ二十分ノ一ヲ超エザルトキハ此ノ限ニ在ラズ

第五節　社　債

第三〇一條〔公募發行の方法〕①社債ノ募集ニ應ゼントスル者ハ社債申込證ニ其ノ引受クベキ社債ノ數及住所ヲ記載シ之ニ署名スルコトヲ要ス

第三款　轉換社債

第三四一條ノ四〔轉換の請求〕①轉換ヲ請求スル者ハ請求書ニ債券ヲ添附シテ之ヲ會社ニ提出スルコトヲ要ス

第六節　定款ノ變更

第三四七條〔會社が發行する株式總數の增加の制限〕

②削　除

③削　除

フル株式ノ數ガ發行濟株式ノ總數ノ二十分ノ一ヲ超エザルトキハ此ノ限ニ在ラズ

第五節　社　債

第三〇一條〔公募發行の方法〕①社債ノ募集ニ應ゼントスル者ハ社債申込證二通ニ其ノ引受クベキ社債ノ數及住所ヲ記載シ之ニ署名スルコトヲ要ス

第三款　轉換社債

第三四一條ノ四〔轉換の請求〕①轉換ヲ請求スル者ハ請求書二通ニ債券ヲ添附シテ之ヲ會社ニ提出スルコトヲ要ス

第六節　定款ノ變更

第三四七條〔會社が發行する株式總數の增加の制限〕

②會社ハ發行スル株式ノ總數ヲ增加スル場合ニ於テハ增加スベキ株式ニ付定款ヲ以テ株主ニ對シ新株ノ引受權ヲ與ヘ、制限シ又ハ排除ス

第四、……社債申込證…………は、一通で足りるものとすること。

第四、…………轉換社債の轉換請求書は、一通で足りるものとすること。

第一、新株引受權に關する事項は、定款の絕對的記載事項としないこと。

第七章 罰則

第四八九條〔會社財產を危くする罪〕

一 會社ノ設立ニ際シテ發行スル株式ノ總數ノ引受、拂込若ハ現物出資ノ給付ニ付又ハ第百六十八條第一項若ハ第二百八十條ノ二第一項第三號ニ揭グル事項ニ付裁判所又ハ總會ニ對シ不實ノ申述ヲ爲シ又ハ事實ヲ隱蔽シタルトキ

附　則

1 この法律は、昭和三十年七月一日から施行する。

2 この法律による改正後の商法は、特別の定がある場合を除いては、この法律の施行前に生じた事項にも適用する。ただし、従前の商法によつて生じた効力を妨げない。

ル旨若シ特定ノ第三者ニ對シ之ヲ與フルトキハ其ノ旨ヲ定ムルコトヲ要ス

③會社ガ發行スル株式ノ總數ノ增加ニ因ル變更ノ登記ニ在リテハ前項ノ定ヲ登記スルコトヲ要ス

第七章 罰則

第四八九條〔會社財產を危くする罪〕

一 會社ノ設立ニ際シテ發行スル株式ノ總數ノ引受、拂込若ハ現物出資ノ給付ニ付又ハ第百六十八條第一項若ハ第二百八十條ノ二第三號ニ揭グル事項ニ付裁判所又ハ總會ニ對シ不實ノ申述ヲ爲シ又ハ事實ヲ隱蔽シタルトキ

3　この法律の施行前に定めた新株の引受權に關する定款の規定の不備は、會社の設立、新株の發行、合併、組織變更又は定款の他の規定の効力を妨げない。

4　この法律の施行前に定めた株主の新株の引受權に關する定款の規定は、この法律の施行の際における會社が發行する株式の總數のうち未發行の部分について、その効力を有する。ただし、その定款の規定を廢止し、又は變更することを妨げない。

5　この法律の施行前に定めた株主以外の者の新株の引受權に關する定款の規定は、この法律の施行後はその効力を有しない。ただし、この法律の施行前に申込があつた新株の引受權については、從前の例による。

6　非訟事件手續法の一部改正（省略）。

7　會社更正法の一部改正（省略）。

ジュリスト選書

改正株式会社法の要点

昭和30年12月25日　初版第1刷発行
昭和31年1月15日　初版第2刷発行

著作者　西原寛一
大隅健一郎
鈴木竹雄
石井照久
大森忠夫

東京都千代田区神田神保町2の17
発行者　江草四郎

東京都千代田区神田神保町2の17
発行所　株式会社 有斐閣
電話九段(33)0323・0344
本郷支店　文京区東京大學正門前
京都支店　左京区北白川追分町1

印刷・共立社印刷所　製本・稲村製本所

改正株式会社法の問題点（オンデマンド版）
ジュリスト選書

2015年4月15日　発行

著　者　西原　寛一・大隅　健一郎・鈴木　竹雄
石井　照久・大森　忠夫
発行者　江草　貞治
発行所　株式会社 有斐閣
〒101-0051　東京都千代田区神田神保町2-17
TEL　03(3264)1314(編集)　03(3265)6811(営業)
URL　http://www.yuhikaku.co.jp/

印刷・製本　株式会社 デジタルパブリッシングサービス
URL　http://www.d-pub.co.jp/

ISBN4-641-91612-8　Printed in Japan